O que Colin e Tony descreveram aqui é exatamente o que estou tentando fazer em minha própria vida e em nossa congregação. De acordo com este livro, os cristãos devem ser fazedores de discípulos e os pastores devem ser treinadores. Esplêndido! Este livro expõe uma mudança crucial que é necessária à maneira de pensar de muitos pastores. Os autores ouviram cuidadosamente a Bíblia. O resultado é um livro bem escrito e bem ilustrado, porém, muito mais do que isso, um livro cheio de sabedoria bíblica e conselho prático. Este é o melhor livro que já li sobre a natureza do ministério.

Mark Dever, Pastor, Capitol Hill Baptist Church, Washington DC

A treliça e a videira, de Colin Marshall e Tony Payne, é um dos livros mais incríveis que já li sobre a relação entre a estrutura da membresia (treliça) e a membresia (videira). A treliça é importante, sem dúvida. Mas o que é mais importante? A treliça ou a videira? Que haja treliça, mas que ela desapareça por conta da videira carregada de bons frutos. Afinal, a treliça é necessária, mas a vida você somente a encontrará na videira. Este é mais um daqueles livros que você não pode passar dessa vida para outra sem ler!

Jonas Madureira, pastor, Igreja Batista da Palavra, São Paulo, SP;
Autor do livro *O Custo do discipulado*.

Estou feliz pelo fato de que este livro foi escrito! O que Deus tem feito em Sydney, durante as últimas décadas, é sobrenatural – e nós, na África do Sul, temos sido os beneficiários. O modelo de ministério apresentado neste livro deixou uma marca indelével em meu próprio ministério e tem sido de valor inestimável para a denominação a que pertenço. As ideias apresentadas neste livro impactaram muitas de nossas igrejas. Somos muito devedores a Colin e a Tony, por colocarem em palavras uma cultura de ministério que é biblicamente funcional, profundamente teológica e, acima de tudo, amorosamente interessada pelos perdidos.

Grant Retief, Pároco, Christ Church, Umhlanga, África do Sul

Instigante! Este livro nos retira do ambiente confortável do leitor passivo e nos convida a uma reflexão profunda de nossos próprios valores e prioridades na agenda ministerial. A cada página somos confrontados com um diálogo interior, se somos os que valorizam a treliça ou cuidam da videira. Este é um livro que ensinará a muitos pastores e líderes uma nova maneira de ver a vida ministerial.

    Rev Dr Leonardo Sahium, Pastor, Igreja Presbiteriana da Gávea, Rio de Janeiro, RJ.

Este é um livro simples e belo que planejo seja lido por todo pastor e presbítero na Village Church. Ele nos chama, discreta e calmamente, de volta ao pastorado bíblico e prático; é também um livro urgentemente necessitado entre grande número de igrejas no Ocidente.

    Matt Chandler, Pastor, The Village Church, Dallas

A Treliça e a Videira são duas metáforas que provocarão no leitor uma necessária e profunda reflexão sobre o ministério cristão. A igreja precisa da Treliça (estruturas funcionais) para o crescimento da Videira (vida espiritual). Os autores reconhecem a importância das estruturas e ao mesmo tempo afirmam que a prioridade da igreja é cuidar das pessoas e promover seu crescimento espiritual.

    Judiclay S. Santos, Pastor, Igreja Batista Betel de Mesquita, RJ.

O ministério do evangelho diz respeito à glória de Deus e ao povo de Deus! Este livro excelente nos leva ao âmago do ministério cristão autêntico. Toda igreja será beneficiada pelo estudo deste livro e por agir de acordo com ele.

    William Taylor, Pároco, Igreja St Helen Bishopsgate, Londres, Reino Unido

Durante mais de vinte anos, tenho visto as ideias apresentadas neste livro excelente serem desenvolvidas, testadas e aprimoradas no ministério ativo do evangelho. Elas são o tipo de ideias contraintuitivas que, uma vez achadas e adotadas, fazem você perguntar a si mesmo: por que não pensei sempre assim?

Phillip D. Jensen, Deão, Catedral St Andrew, Sydney, Austrália

Se eu pudesse dar apenas um livro a cada aluno que está se preparando para o ministério hoje, este livro seria *A Treliça e a Videira*. Marshall e Payne compartilham décadas de experiência, numa das maiores cidades do mundo, com a esperança de estimular o crescimento do evangelho ao redor do mundo. Este livro revigorará todo pastor que já se perguntou: "O que se espera que eu *esteja fazendo* no mundo?" Fui revigorado e fortalecido em minha principal vocação e mais bem preparado para dar fruto para Cristo. De fato, este livro é tão bom que desejo seja lido por todo o líder e pastor estagiário de nossa igreja!

David Helm, Pastor, Holy Trinity Church, Chicago

É impossível você ler *A Treliça e a Videira* sem que suas estimadas pressuposições de ministério sejam profundamente desafiadas. Este livro é uma reavaliação do ministério cristão sob uma perspectiva que glorifica a Deus e está saturada das Escrituras. Esclarecerá a anomalia de alguém ser um cristão sem ter um coração missionário radical. Identificará a superfluidade de estruturas de ministério que devem mais a pragmatismo cultural do que à Bíblia. E, acima de tudo, este livro nos inspirará a servir à igreja de Deus, que ele comprou com seu próprio sangue.

Richard Chin, Diretor Nacional,
Comunhão Australiana de Estudantes Evangélicos, Sydney, Austrália

Deus forma ministros no meio de suas igrejas. É no contexto da igreja local fiel que pastores são mais bem ensinados, moldados e capacitados. *A Treliça e a Videira* é um guia excelente para o preparo de pastores e ministros para a igreja de Cristo. Procede de um ministério profundamente comprometido com a redescoberta da verdade bíblica e com a causa do evangelho. Sua sabedoria é inestimável. Meu conselho: tenha sempre um bom estoque deste livro e coloque-o em bom uso.

R. Albert Mohler Jr. Presidente,
The Southern Baptist Theological Seminary, Louisville

Este livro se solidariza com a confusão que muitos pastores têm quando se permitem perder o foco do alvo de Jesus para o ministério, ou seja, preparar fazedores de discípulos. Mas não deixa o pastor em meio à nuvem de desespero; em vez disso, lhe dá a coragem para confiar de novo na estratégia de seu Senhor. Encoraje-se: a estratégia de Jesus foi capaz de alcançar muitos países tão distantes quanto o meu.

Cristóbal Cerón, Coordenador Geral, Gimnasio (MTS),
Santiago, Chile

Não há maior necessidade (no feliz ressurgimento de igrejas robustas, centradas no evangelho, no mundo de fala inglesa) do que pensarmos biblica e sabiamente sobre o modo como vivemos e ministramos juntos em nossas igrejas. Todos os tipos de pessoas nos oferecem suas opiniões a respeito de como devemos fazer isto nesta era de reforma (na qual alguns, se não muitos, veem corretamente a fraqueza do ministério e da metodologia dos últimos cinquenta anos, mas cujas prescrições de remédios ficam aquém dos padrões de sabedoria e da Escritura). Sim, vamos repensar o que, como igreja, devemos ser e fazer juntos, mas façamos isso de maneira bíblica e com a sabedoria do discernimento bíblico e experiência pastoral. Por isso, digo com alegria que tenho novos parceiros de conversa quando faço a mim mesmo, sob a autoridade de Deus e da Escritura, perguntas sobre a estrutura e o ministério de minha congregação: por que estamos fazendo o que fazemos? O evangelho é central? A "administração" tem ultrapassado o ministério? A nossa vida e missão coletiva é moldada pela Bíblia? E mais. Quando pergunto estas coisas, sou profundamente ajudado, quebrantado, humilhado e corrigido pela fidelidade e sabedoria deste profundo livro de Colin Marshall e Tony Payne, que não posso deixar de recomendar.

Ligon Duncan, Pastor, *First Presbyterian Church*, Jackson

Este livro é um exemplo perfeito de boa teologia norteando a prática. Os muitos anos de experiência de Colin em recrutar e treinar pastores se refletem em cada página. Entremeado de exemplos pessoais úteis, este livro é leitura essencial para aqueles que procuram lidar com os princípios bíblicos de crescimento do evangelho.

Paul Dale, Pastor, Church by the Bridge, Sydney, Austrália

A Treliça e a Videira é uma leitura obrigatória para todo ministro do evangelho. Os princípios deste livro revolucionarão a maneira como muitos de nós realizamos o ministério e nos ajudam a encorajar e preparar a nova geração de obreiros do evangelho. Muito frequentemente estamos construindo e mantendo nossas "treliças" (estruturas de ministério) e esquecemos que o ministério cristão diz respeito à "videira" – as pessoas. Agradeço aos autores por esta abordagem clara e centrada na Bíblia sobre a tarefa mais importante no mundo.

Ainsley Poulos, *Equip Women Ministries*, Sydney, Austrália

A Treliça e a Videira é um livro perigoso. Destrói ídolos preciosos e muito amados como estes: "Se tivéssemos a declaração de visão e missão correta, eles viriam... Se tivéssemos a empolgação correta, eles viriam...

Se tivéssemos o pregador correto... a banda de música correta... o prédio correto..."

A Treliça e a Videira lembra à igreja que Jesus Cristo diz exatamente o contrário. Jesus nos diz que devemos ser missionários da Grande Comissão; devemos ir e fazer "discípulos de todas as nações". Este é o melhor livro que já li sobre mobilizar todos os cristãos para serem missionários da Grande Comissão. Ele transformará clientes de igreja em servos, consumidores em produtores e discípulos em fazedores de discípulos.

Ben Pfahlert, Diretor, *Ministry Training Strategy* (MTS), Sydney, Austrália

Este novo livro estimulante sobre treinamento *bíblico* desafiará algumas metodologias muito apreciadas. Tony e Colin são capazes de desconcertar e criticar com simpatia e entendimento. As suas observações são sempre judiciosas e nunca condenatórias. Cada página pulsa com o desejo pelo crescimento do evangelho e pelo amadurecimento da igreja. Este livro não é uma obra de teólogos sem experiência prática ou de pragmáticos com soluções rápidas; é o produto de trinta anos de reflexão e ministério prático efetivo. Merece ser lido amplamente e discutido por todos que levam a sério o ministério de cada pessoa na igreja. Será um texto de estudo no BCV!

Michael Raiter, Diretor, *The Bible College of Victoria*, Melbourn, Austrália

A TRELIÇA e a Videira

A MENTALIDADE DE DISCIPULADO QUE MUDA TUDO

COLIN MARSHALL & TONY PAYNE

FIEL Editora

M367t   Marshall, Colin
         A treliça e a videira : a mentalidade de discipulado que muda tudo / Colin Marshall, Tony Payne – São José dos Campos, SP : Fiel, 2015.

         208 p. ; 23cm.
         Inclui referências bibliográficas e índice.
         Tradução de: The trellis and the vine.
         ISBN 9788581322933

         1. Discipulado (Cristianismo). I. Payne, Tony. II. Título.

                                                   CDD: 248.4

Catalogação na publicação: Mariana C. de Melo – CRB07/6477

A Treliça e a Videira: a mentalidade de discipulado que muda tudo

Traduzido do original em inglês
The Trellis and the Vine
Copyright 2009© by Matthias Media

•

Publicado por Matthias Media
PO Box 225
Kingsford, NSW 2032, Australia
www.mathiasmedia.com.au

•

Copyright©2014 Editora FIEL.
1ª Edição em Português: 2015

Todos os direitos em língua portuguesa reservados por Editora Fiel da Missão Evangélica Literária
PROIBIDA A REPRODUÇÃO DESTE LIVRO POR QUAISQUER MEIOS, SEM A PERMISSÃO ESCRITA DOS EDITORES, SALVO EM BREVES CITAÇÕES, COM INDICAÇÃO DA FONTE.

•

Diretor: Tiago J. Santos Filho
Editor-chefe: Vinicius Musselman Pimentel
Editor: Tiago J. Santos Filho
Tradução: Francisco Wellington Ferreira
Revisão: Marilene L. Paschoal
Diagramação: Rubner Durais
Capa: Rubner Durais
ISBN impresso: 978-85-8132-293-3
ISBN e-book: 978-85-8132-302-2

FIEL Editora
Caixa Postal, 1601
CEP 12230-971
São José dos Campos-SP
PABX.: (12) 3919-9999
www.editorafiel.com.br

SUMÁRIO

Agradecimentos 11

1. A treliça e a videira..13

2. Mudanças de mentalidade de ministério 23

3. O que Deus está fazendo no mundo? 37

4. Todo cristão é um trabalhador de videira?....................49

5. Culpa ou graça 69

6. O âmago do treinamento..77

7. Treinamento e crescimento do evangelho 89

8. Por que os sermões de domingo são necessários
   mas não suficientes?.. 101

9. Multiplicando o crescimento do evangelho,
   através do treinamento de cooperadores..................... 119

10. Pessoas que vale a pena observarmos 139

11. Aprendizado ministerial 157

12. Começando 165

Apêndice: Perguntas frequentes e respostas 183

AGRADECIMENTOS

Colin e eu estávamos escrevendo este livro, sem perceber, durante mais de 25 anos passados. O livro trata de como chegamos a pensar sobre o ministério cristão, e como isto tem motivado e moldado o que passamos a vida fazendo. No caso de Colin, isso significou fundar e dirigir uma organização de treinamento dedicada a despertar obreiros para o ministério do evangelho – o Ministry Training Strategy (MTS). No meu caso, significou fundar e dirigir um ministério de publicação focalizado em produzir materiais que promovem o ministério do evangelho – Matthias Media.

O exército de amigos, familiares, colegas e parceiros que nos ensinaram, nos moldaram e nos apoiaram no decorrer destes anos é impossível de ser listado neste pequeno espaço. Nada teria acontecido sem a extraordinária influência e amizade de Philip Jensen, que esteve presente o tempo todo, nos ensinou e nos moldou profundamente e que foi um instrumento em formar tanto o MTS quanto a Matthias Media. É também impossível imaginarmos chegar ao ponto de escrever este livro sem a amizade, o apoio e o trabalho árduo de Ian Carmichael, Marty Sweeney, Archie Poulos, Paddy Benn, John Dykes, Simon Pillar, Laurie Scandrett, Robert Tong, Tony Willis, David Glinatsis, Kathryn Thompson, John McConville, Hans Norved, Ben Pfahlert e uma extensa lista de outras pessoas. Muitos destes amigos trabalharam com dedicação para prover a treliça para a nossa videira. Estendemos igualmente um agradecimento especial a Gordon Cheng, que trabalhou muito para que este projeto se tornasse realidade.

Embora estejamos agradecendo aos amigos e parceiros que trabalharam em favor deste livro, quero enfatizar que este livro é mais de Colin do que meu. Nas páginas seguintes, falamos muito sobre trabalhar de perto com as pessoas, torná-las discípulos, ajudá-las a crescer e florescer no ministério e ficar ao lado delas em longo prazo. Colin tem feito isso comigo nestes mais de 30 anos passados. Ainda que agora eu não tenha mais o privilégio de trabalhar ao lado de Colin, como irmão e colega (e sei que ele é muito agradecido por toda a obra de "polimento" que fiz), quero deixar claro que a maioria das ideias expostas em seguida são minhas agora porque foram primeiramente dele.

Finalmente, queremos agradecer a nossas famílias e, em especial, às boas esposas com as quais Deus nos abençoou: Jacquie, de Colin, e Ali, minha esposa. O amor, o encorajamento, as palavras e o exemplo delas significa muito mais do que podemos dizer.

Tony Payne,
agosto de 2009

Capítulo 1

A TRELIÇA E A VIDEIRA

Temos duas treliças em nosso quintal.
    Uma está presa à parede de trás da garagem; é uma treliça muito bem feita. Gostaria de reivindicá-la como minha própria criação, mas não posso. Ela é forte, confiável e projetada com habilidade; a pintura verde-oliva tem sido mantida nova. Falta apenas uma coisa: uma videira.
    Imagino que antes existia uma videira, a menos que a construção da treliça tenha sido uma daquelas obras de um faz-tudo que demorou tanto, que, ao final, ninguém apareceu para plantar algo que crescesse na treliça. Alguém certamente dedicou muito tempo e cuidado à sua construção. Ela é quase uma obra de arte. Mas, se já houve uma videira que se estendeu em volta desta linda treliça, hoje não há qualquer traço disso.
    A outra treliça se apoia na cerca lateral e quase não é visível por baixo de uma trepadeira de jasmim florescente. Com um pouco de fertilizante

e rega ocasional, o jasmim se mantém produzindo novos brotos, expandindo-se para o lado, através e por cima da cerca, expondo suas flores brancas delicadas, quando chega o calor da primavera. Poda é necessária constantemente, bem como a remoção de ervas daninhas ao redor da base. Preciso também jogar spray uma ou duas vezes para impedir que as lagartas se banqueteiem da seiva das folhas verdes. Mas o jasmim continua se desenvolvendo.

É difícil afirmar qual é a condição da treliça por baixo do jasmim, mas, em alguns pontos, onde ela é visível, posso ver que não tem sido pintada há muito tempo. Em uma extremidade, a treliça foi desprendida pelos ramos insistentes do jasmim; e embora eu a tenha prendido de novo, algumas vezes, isso foi inútil. O jasmim tem prevalecido. Sei que terei de fazer algo a respeito disso, a longo prazo, porque, no final, o peso do jasmim separará a treliça totalmente da cerca, e tudo ruirá.

Tenho pensado frequentemente em tirar uma muda do jasmim e ver se ela crescerá na bela mas vazia treliça da garagem, embora pareça uma vergonha encobri-la.

COMO A OBRA DE TRELIÇA PREDOMINA

Quando estava sentado na varanda de trás e observava as duas treliças, ocorreu-me mais de uma vez o pensamento de que a maioria das igrejas é uma mistura de treliça e videira. A obra fundamental de qualquer ministério cristão é pregar o evangelho de Jesus Cristo no poder do Espírito de Deus e ver pessoas convertidas, mudadas e crescendo para a maturidade nesse evangelho. Essa é a obra de plantar, regar, fertilizar e cuidar da videira.

No entanto, assim como algum tipo de estrutura é necessária para ajudar uma videira a se desenvolver, assim também ministérios cristãos precisam de alguma estrutura e apoio. Talvez não precisemos de muito, mas, pelo menos, de um lugar onde possamos nos reunir, de algumas

Bíblias que possam ser lidas e de alguma estrutura básica de liderança em nosso grupo. Todas as igrejas, associações e ministérios cristãos têm algum tipo de treliça que lhes dá forma e apoio para a obra. À medida que o ministério cresce, a treliça também precisa de atenção. Gerência, finanças, infraestrutura, organização, governança – todas estas coisas se tornam mais importantes e mais complexas à medida que a videira cresce. Neste sentido, bons obreiros de treliça são inestimáveis, e todos os ministérios que crescem precisam deles.

Qual é o estado da treliça e da videira em sua igreja?

Talvez o trabalho de treliça tenha predominado sobre o trabalho de videira. Há comissões, estruturas, programas, atividades e levantamento de fundos, e muitas pessoas gastam muito tempo em mantê-los todos funcionando, mas a obra atual de fazer a videira crescer recai sobre poucos. De fato, talvez o único tempo real de crescimento seja no culto regular de domingo, ocupado somente pelo pastor ao pregar o seu sermão.

Se a sua igreja está nesta condição, então, há toda chance de que a videira esteja parecendo cansada. As folhas são menos verdes, as flores são menos abundantes, e já faz algum tempo que não se veem novos brotos. O pastor continua trabalhando intensamente, sentindo-se sobrecarregado, pouco apreciado e desencorajado pelo fato de que sua obra fiel a cada domingo parece não produzir muito fruto. De fato, ele sente muitas vezes que gostaria de fazer mais para ajudar e incentivar outros a se envolverem na obra de videira, a obra de regar, plantar e ajudar pessoas a crescerem em Cristo. Mas a verdade triste é que recai sobre ele a organização da maior parte da obra de treliça – rol de membros, propriedades e questões de prédios, comissões, finanças, orçamento, supervisionar o escritório da igreja, planejar e administrar eventos. Não há tempo suficiente.

E este é o fato a respeito da obra de treliça: ela tende a predominar sobre a obra de videira. Talvez porque a obra de treliça seja mais fácil e menos pessoalmente ameaçadora. A obra de videira é pessoal e exige muita oração. Exige que dependamos de Deus e abramos a boca para falar a Palavra de Deus, de alguma maneira, para outras pessoas. Por natureza (ou seja, por natureza pecaminosa), nos retraímos disso. O que você prefere fazer: sair com um grupo de voluntários da igreja e realizar alguns serviços de limpeza ou compartilhar o evangelho com seu vizinho face a face? Qual é mais fácil: ter uma reunião para discutir o estado do carpete ou um encontro particular difícil no qual você tem de repreender um irmão por seu comportamento pecaminoso?

A obra de treliça também parece mais impressionante do que a obra de videira. É mais visível e estrutural. Podemos apontar alguma coisa tangível – uma comissão, um evento, um programa, um orçamento, uma infraestrutura – e dizer que fizemos algo. Podemos construir nossa treliça até que ela atinja os céus, na esperança de fazermos um nome para nós mesmos, mas ainda haverá pouco crescimento na videira.

A concentração na obra de treliça que é tão comum em muitas igrejas deriva-se de uma visão institucional do ministério cristão. É muito possível igrejas, organizações e até denominações inteiras se darem totalmente à manutenção de sua instituição. Conheço uma igreja que tem 23 organizações e estruturas diferentes que funcionam semanalmente, e todas elas são listadas no boletim semanal. Todas estas atividades diferentes começaram, em algum momento do passado, como boas ideias para o crescimento da vida da igreja e resultam, certamente, em muitas pessoas circulando pelo edifício da igreja durante a semana para fazerem muitas coisas. Todavia, quanto trabalho de videira real está acontecendo? Quantas pessoas estão ouvindo a Palavra de Deus e, pelo poder de seu Espírito, crescendo em conhecimento e piedade? Nesta igreja específica, a resposta é bem poucas.

Independentemente da razão, não há dúvida de que, em muitas igrejas, manter e aprimorar a treliça predomina constantemente sobre o cuidar da igreja. Fazemos reuniões, mantemos prédios, nos reunimos em comissões, designamos os empregados e supervisionamos o trabalho deles, cuidamos da administração, levantamos fundos e geralmente cumprimos as exigências que nossa denominação deseja que cumpramos.

De algum modo, isto tende a acontecer especialmente quando ficamos mais velhos. Começamos a ficar cansados da obra de videira e assumimos mais e mais responsabilidades organizacionais. Às vezes, isto pode até acontecer porque somos vistos como desenvolvedores de videiras bem-sucedidos e, por isso, saímos da obra de crescimento de videira para a obra de falar aos outros sobre como realizar o crescimento de videiras.

No entanto, as coisas pioram ainda mais quando paramos para considerar a comissão que Deus entregou a todos nós como seu povo. A parábola da treliça e da videira não é apenas um quadro das lutas de minha própria igreja local; é também um quadro do progresso do evangelho em minha rua, bairro, cidade e mundo.

A VIDEIRA E A COMISSÃO

Em 1792, um jovem chamado William Carey publicou um pequeno livro intitulado *An Enquiry into the Obligations of Christians to use Means for the Conversion of the Heathen* (Uma Inquirição sobre as Obrigações de Cristãos Usarem Meios para a Conversão dos Pagãos). No livro, Carey argumentou *contra* a opinião prevalecente de que a Grande Comissão, dada em Mateus 28, fora cumprida pelos primeiros apóstolos e não se aplicava à igreja em gerações posteriores. Carey via essa ideia como uma abdicação de nossa responsabilidade. Ele entendia a Grande Comissão como um dever e privilégio para todas as gerações, e assim começou o movimento moderno de missões.

Para a maioria de nós, isto não é mais controverso. É claro que devemos enviar missionários aos confins da terra e procurar alcançar todo o mundo para Cristo. Mas isto é realmente o que Mateus 28 nos chama a fazer? A comissão se aplica a nossa própria igreja e a cada discípulo cristão? Estes versículos famosos são dignos de observação mais atenta.

Quando os discípulos levemente assustados viram o Senhor Jesus ressuscitado num monte da Galileia, se prostraram diante dele com uma mistura de temor e dúvida no coração. E, quando Jesus veio e falou com eles, suas palavras não fizeram nada para acalmá-los.

Ele lhes disse: "Toda a autoridade me foi dada no céu e na terra" (Mt 28.18). Esta afirmação impressionante tem nuanças de Daniel 7. Quando "um como o Filho do Homem" foi até à presença do Ancião de Dias, conforme Daniel 7, "foi-lhe dado domínio, e glória, e o reino, para que os povos, nações e homens de todas as línguas o servissem" (Dn 7.13-14).

"Isto é o que eu sou", Jesus estava dizendo a seus discípulos. E, nos três anos passados, os discípulos tinham-no visto por si mesmos. Jesus estivera entre eles como o poderoso Filho do Homem, curando enfermos, ressuscitando mortos, ensinando com autoridade, perdoando pecados e dizendo coisas como estas:

> Quando vier o Filho do Homem na sua majestade e todos os anjos com ele, então, se assentará no trono da sua glória; e todas as nações serão reunidas em sua presença, e ele separará uns dos outros, como o pastor separa dos cabritos as ovelhas (Mt 25.31-32).

E agora, na presença do Filho do Homem, em um monte da Galileia, eles estão vendo o cumprimento da visão de Daniel. Aqui está o Homem diante do qual todas as pessoas, de toda nação e de toda língua, se dobrarão.

É com base nisto – a autoridade suprema, única e universal do Filho de Deus ressuscitado – que Jesus comissiona seus discípulos a fazerem discípulos de todas as nações. Às vezes, nossas traduções da Bíblia dão a impressão de que "ide" é a ênfase do mandamento, mas o verbo principal da oração é "fazei discípulos", que conta com três particípios subordinados e ligados a ele: indo (ou "à medida que você vai"), batizando e ensinando.

"Batizando" e "ensinando" são os meios pelos quais os discípulos devem ser feitos. Talvez o batismo possa significar alguma outra coisa, mas aqui ele se refere à iniciação dos discípulos no arrependimento e na submissão ao soberano Jesus, o Senhor que governa o mundo.

O "ensinar" que os discípulos deveriam fazer reproduz o que o próprio Jesus havia feito com eles. Jesus fora o "Mestre" deles (cf. Mt 12.38; 19.16; 22.16, 24, 36; 26.18). E, porque Jesus os ensinou, eles cresceram em conhecimento e entendimento. Os discípulos devem, agora, por sua vez, fazer novos discípulos por ensinarem outros a obedecer todo mandamento dado por seu Mestre. No relato da missão feito por Lucas, esta ordem de "fazer discípulos por ensinar" corresponde a pregar o evangelho. Nesse relato, vemos que Jesus disse "que em seu nome se pregasse arrependimento para remissão de pecados a todas as nações, começando de Jerusalém" (Lc 24.47).

E como devemos entender o "indo"? Tradicionalmente (ou pelo menos depois de Carey), isto tem sido entendido como um mandato missionário, um esquema para enviar obreiros do evangelho ao mundo. Todavia, isto pode levar igrejas locais a pensarem que estão obedecendo à Grande Comissão se enviam dinheiro (e missionários) para o exterior. De fato, o particípio seria melhor traduzido por "quando você for" ou "à medida que você vai". A comissão não é fundamentalmente sobre missões em algum lugar de outro país. É uma comissão que *torna o fazer discípulos a agenda e a prioridade normal de cada igreja e de cada discípulo cristão.*

A autoridade de Jesus não está limitada em qualquer aspecto. Ele é o Senhor e Soberano de minha rua, meus vizinhos, meu bairro, meus colegas de trabalho, minha família, minha cidade, minha nação – e, sim, de todo o mundo. Jamais deveríamos parar de enviar missionários para pregar o evangelho em lugares onde ele precisa ser ouvido, mas devemos também ver o fazer discípulos como a tarefa central em nossos lares, vizinhanças e igrejas.

A instrução de Jesus sobre "fazer discípulos", registrada em Mateus 28.19, não é apenas uma mensagem específica para os apóstolos reunidos em volta dele no tempo de sua aparição final, após a ressurreição. Os primeiros discípulos foram instruídos a "fazerem discípulos" de outros. E, visto que estes novos discípulos estavam sob o senhorio universal de Cristo e deviam obedecer ao que Jesus ensinara, ficaram sob a mesma obrigação dada aos doze originais, de prosseguir o trabalho de anunciar o senhorio de Cristo, como fizeram seus ouvintes, e assim por diante "até à consumação do século".

Don Carson conclui que "a ordem é dada pelo menos aos onze, mas aos onze em seu papel como discípulos (v. 16). Portanto, eles são paradigmas para todos os discípulos... Cumpre a *todos* os discípulos de Jesus fazerem de outros aquilo que eles mesmos são – discípulos de Jesus Cristo".[1]

Ser um discípulo significa ser chamado a fazer novos discípulos. É claro que os cristãos recebem dons e exercem diferentes ministérios (falaremos mais sobre isso nos capítulos seguintes). Mas, porque todos somos discípulos de Cristo e temos com ele uma relação de professor e aluno, mestre e seguidor, todos nós somos fazedores de discípulos.

Portanto, o alvo do ministério cristão é muito simples e, até certo ponto, mensurável: estamos fazendo e nutrindo verdadeiros discípulos de Cristo? A igreja sempre tende em direção ao institucionalismo e à secularização. O foco muda para a preservação de programas e estruturas tradicionais, e se perde o alvo de discipulado. O mandato de fazer discípulos é o critério que determina se nossa igreja está engajada na missão

---

[1] D. A. Carson, "Matthew", em Frank E. Gaebelein (ed.), *The Expositor's Bible Commentary*, vol. 8 (Grand Rapids: Zondervan, 1984), p. 596.

de Cristo. Estamos fazendo verdadeiros discípulos de Jesus Cristo? Nosso alvo não é fazer membros de igreja ou membros de nossa instituição, e sim verdadeiros discípulos de Jesus.

Ou, retornando à nossa parábola – nosso alvo é dar crescimento à videira e não à treliça.

A imagem da treliça e da videira suscita as perguntas fundamentais do ministério cristão:

- Qual o propósito da videira?
- Como ela cresce?
- Como a videira se relaciona com minha igreja?
- O que é a obra de videira e o que é a obra de treliça? E como podemos saber a diferença?
- Que parte diferentes pessoas realizam no crescimento da videira?
- Como posso ter mais pessoas envolvidas na obra de videira?
- Qual é o relacionamento correto entre a treliça e a videira?

Nos capítulos seguintes, ofereceremos a sugestão de que há uma necessidade urgente de respondermos a estas perguntas de novo. A confusão reina. Todos querem que suas igrejas cresçam, porém a maioria está incerta a respeito de como e onde começar. Os gurus de crescimento de igreja surgem e desaparecem. Métodos de ministério caem no favor e perdem o favor, como a moda das mulheres. Pulamos de uma técnica para outra, na esperança de que esta (finalmente!) seja a chave do sucesso.

Até entre pastores fiéis e piedosos, que evitam seguir as tendências do momento de marketing cristão, há confusão – mais especialmente entre o que o ministério cristão é na Bíblia e o que o ministério cristão se tornou na denominação ou tradição específica da qual eles fazem parte. Somos todos servos de nossas tradições e influenciados por elas mais do que imaginamos. E o efeito da tradição e de práticas de muito tempo nem sempre é que algum erro terrível se estabelece; mais frequente, é que nosso foco se aparta de nossa principal tarefa e agenda – fazer discípulo. Ficamos tão acostumados a fazer as coisas de uma maneira (geralmente por boa razão, a princípio), que elementos importantes são negligenciados e esquecidos, em detrimento de nós mesmos. Ficamos desequilibrados e, nessa situação, nos perguntamos por que andamos em círculos.

Capítulo 2

MUDANÇAS DE MENTALIDADE DE MINISTÉRIO

Neste livro, vamos sugerir que a maioria das igrejas cristãs atuais precisa fazer uma reavaliação radical do que é realmente o ministério cristão – qual é o seu alvo e objetivos, como ele se realiza e que parte todos cumprimos em sua realização. Nos capítulos seguintes (em especial, os capítulos 3 a 5), examinaremos as Escrituras a fim de lançarmos os fundamentos para esta reavaliação e argumentarmos quanto à sua necessidade e urgência.

No entanto, antes de formularmos o argumento em detalhes, julgamos que vale a pena oferecer um vislumbre do alvo a que nos encaminhamos. Argumentaremos que as estruturas não fazem o ministério se desenvolver, assim como a treliça não dá crescimento à videira, e que a maioria das igrejas precisa fazer uma mudança consciente – do estabelecimento e manutenção de estruturas para o *crescimento de pessoas que são discípulos que fazem discípulos de Cristo*.

Isto pode exigir algumas mudanças de mentalidade radicais e, talvez, dolorosas. Apresentamos aqui alguns exemplos das mudanças de mentalidade que precisamos fazer. Cada uma dessas mudanças toca em um aspecto diferente da estrutura de pensamento que impede as pessoas de ministrarem. Contudo, quando fizermos a transição, isso abrirá novos panoramas para o ministério e para o treinamento ministerial.

1. DO REALIZAR PROGRAMAS PARA O EDIFICAR PESSOAS

Quando planejamos o ministério para o ano seguinte, há duas abordagens que talvez adotemos. Uma abordagem é considerarmos os programas existentes na igreja (como as reuniões de domingo, trabalho com jovens, ministério infantil e grupos de estudos bíblicos) e, depois, elaborarmos maneiras como esses programas podem ser mantidos e melhorados. A outra abordagem é começarmos com as pessoas na igreja local, não tendo em mente estruturas ou programas específicos, e, depois, considerarmos quem são essas pessoas que Deus nos confiou, como podemos ajudá-las a crescer na maturidade cristã e que forma seus dons e oportunidades podem assumir.

Esta é uma mudança de mentalidade revolucionária: quando fixamos o pensamento nas pessoas da igreja, isso muda o nosso foco para as colocarmos em primeiro lugar e edificarmos ministérios ao redor delas. Ao fazermos isso, pode ficar evidente que alguns programas não servem mais a algum propósito digno. Também pode ficar evidente que um programa não é mais viável porque as pessoas que o realizavam antes não estão mais disponíveis. Isto pode ser doloroso para aqueles que se apegam a tais programas (é angustiante atirar em um cavalo morto!), mas novos ministérios começarão a surgir à medida que treinamos os membros de nossa igreja a usarem seus diferentes dons e oportunidades.

2. DO REALIZAR EVENTOS PARA O TREINAR PESSOAS

Tipicamente, as igrejas adotam uma abordagem de evangelização baseada em eventos. Elas usam eventos variados para proclamar o evangelho: reuniões da igreja, cultos evangelísticos, reuniões de missões, café de homens, jantar de mulheres e muitos outros ajuntamentos criativos. A fim de parecerem bem-sucedidas, as igrejas continuam mantendo mais e mais desses eventos.

No entanto, em um nível, esta tática está falhando. Em nossa era secular, pós-cristã, a maioria dos incrédulos nunca virá aos nossos eventos. Até os membros de nossas igrejas são irregulares em sua frequência às reuniões. A tática de eventos se fundamenta parcialmente no apelo e dons de um pregador convidado, e isto significa que somos limitados pela disponibilidade de tais pessoas para o que podemos realizar. Para o pastor da igreja, bem como para os principais leigos, estabelecer e realizar eventos pode acabar e acaba dominando a vida da igreja, e todo o nosso tempo é gasto em conseguir que as pessoas venham a esses eventos. Entretanto, apesar do trabalho que eles envolvem, em alguns aspectos o evento é uma tática centralizadora: são convenientes e fáceis de ser controlados pelo líder ou organizador, mas exigem que os incrédulos venham até nós de acordo com os nossos termos. Em última análise, a abordagem de eventos nos afasta tanto do treinamento quanto da evangelização.

Se quisermos que nossa estratégia seja focalizada em pessoas, devemos concentrar-nos em *treinamento*, o que aumenta o número e a eficácia de comunicadores do evangelho (ou seja, pessoas que podem falar as boas-novas em conversas pessoais e em contextos públicos). Esse tipo de estratégia envolve identificarmos e equiparmos mais os comunicadores, e isso aumenta o número, a variedade e a eficácia dos eventos. Além disso, podemos usar eventos para treinar nossos obreiros. Se todos os membros de nossa congregação estiverem disponíveis à oportunidade de serem treinados em evangelização, mais incrédulos virão aos nossos eventos.

Mas, por favor, observe: esta é uma estratégia caótica – uma estratégia inconveniente. Treinar evangelistas exige tempo. É necessário tempo para que jovens evangelistas construam seus próprios ministérios, à medida que saem a pregar a Palavra. Isso significará que teremos de abandonar o controle de nossos programas, quando o evangelho é pregado, porque Cristo ajuntará seu povo em todos os tipos de comunhão que possam ou não encaixar-se em nossas redes de estruturas.

3. DO USAR PESSOAS PARA O PROMOVER O CRESCIMENTO DE PESSOAS

Voluntários são aqueles que mantêm e expandem os programas da igreja. Pela graça de Deus, os voluntários são a força vital de nossas igrejas: eles gastam suas noites e fins de semanas em reuniões dominicais, trabalhos com crianças, grupo de jovens, estudos bíblicos, comissões, cuidado do patrimônio da igreja e assim por diante. O perigo de ter esses voluntários dispostos é que os usamos, os exploramos e esquecemos de treiná-los. Então, eles se esgotam, seu ministério é encurtado, e descobrimos que falhamos em desenvolver sua vida cristã e seu possível ministério. Em vez de usarmos nossos voluntários, deveríamos considerar como podemos incentivá-los e ajudá-los a crescer no conhecimento e no amor a Cristo, porque serviços resultam do crescimento cristão, e não o contrário.

Por exemplo, um casal habilidoso e comprometido que conheço serviu fielmente como líder de estudo bíblico por seis anos consecutivos, enquanto também conciliavam compromissos de estudo e trabalho. No sétimo ano, contando com o encorajamento de seu pastor, eles tiveram um ano de descanso – uma interrupção de liderarem estudos bíblicos para propiciarem refrigérios a si mesmos; e apenas participarem de um

Mudanças de mentalidade de ministério

grupo e recarregarem as baterias. Depois de seu ano de descanso, eles mergulharam de novo em liderança.

Precisamos cuidar de pessoas e ajudá-las a florescer e crescer no ministério, e não esgotá-las no interesse de manter nossos programas em continuidade.

4. DO PREENCHER LACUNAS PARA O TREINAR NOVOS OBREIROS

Uma das pressões imediatas sobre os pastores é preencher lacunas deixadas por líderes que renunciam a nossos programas. Mas, se nos focalizarmos apenas em preencher lacunas, nunca sairemos do modo de manutenção: estamos apenas mantendo sem propósito ministérios existentes, em vez de nos expandirmos em novos ministérios.

Deveríamos começar com as pessoas que Deus nos deu, não com nossos programas. Precisamos considerar cada pessoa como um dom de Cristo à nossa igreja e equipá-las para o ministério. Portanto, em vez de pensarmos: "Podemos preencher esta lacuna com nosso pessoal?", talvez a pergunta que precisamos considerar é: "Que ministério este membro poderia exercer?"

De nossa experiência, poderíamos citar muitos exemplos de pessoas que tiveram e não tiveram esta experiência. Por exemplo, considere Sarah, uma atleta de elite convertida por meio de ministério relacionado a atletas. Sarah foi bem acompanhada e firmada em sua fé, e sua igreja proporcionava um ambiente forte e edificante. Além disso, ela tinha uma paixão por Cristo e pela evangelização e uma grande rede de amigos não cristãos, colegas de equipe e conhecidos com os quais poderia compartilhar o evangelho. No entanto, em vez de treinar e encorajar Sarah a buscar este ministério de evangelização, a igreja insistiu fortemente em que ela se tornasse membro da comissão de administração da igreja, porque havia uma lacuna e uma necessidade, e Sarah se mostrava entusiasta e disposta a ajudar. A igreja estava preenchendo lacunas e não construindo um ministério ao redor dos dons e oportunidades das pessoas.

Um exemplo mais positivo foi Dave, um rapaz que sofria de esquizofrenia. Dave era uma pessoa muito inteligente e capaz que amava o Senhor, mas sua doença significava que, para ele, quase todas as formas de ministério estavam fechadas. Ele não tinha estabilidade e força mental para liderar estudos bíblicos, ajudar novos crentes em seu crescimento ou contribuir para quaisquer outros programas ou eventos da igreja. No entanto, em seus períodos lúcidos e racionais, Dave tinha potencial enorme para evangelização e ministério entre seus muitos amigos e contatos que também sofriam de desordens mentais e emocionais. Seu pastor treinou e incentivou Dave neste ministério e colocou outros amigos cristãos para assisti-lo, apoiá-lo e ajudá-lo com acompanhamento. Foi um exemplo maravilhoso ver o ministério potencial de uma pessoa especial, e ajudá-la e equipá-la para fazer discípulos.

Se começarmos vendo as coisas nestes termos, se abrirão novas áreas de ministério centrado em dons e oportunidades específicas de nossos membros. Em vez de preencher uma vaga numa comissão, um de nossos membros poderia começar um ministério direcionado à sua comunidade étnica ou um grupo de estudo bíblico em seu local de trabalho. Além disso, focalizar-nos em pessoas nos ajudará a descobrir e treinar possíveis candidatos ao ministério integral da Palavra (falaremos mais sobre isso nos capítulos 9 e 10).

5. DO RESOLVER PROBLEMAS PARA O AJUDAR PESSOAS A PROGREDIREM

Um sentimento comum entre os cristãos é o de que só recebem visitas ou outros oram em seu favor quando estão doentes ou desempregados. É claro que nossas igrejas sempre incluirão pessoas que enfrentam problemas. O povo de Deus tem muitas necessidades, assim como o resto da população. E, como ministros de Cristo, precisamos amar e receber bem a todos, independentemente de suas necessidades e situações individuais, e não ignorar seus problemas com palavras mesquinhas (Tg 2.14-17).

No entanto, não queremos criar o tipo de ambiente de ministério em que a única maneira pela qual as pessoas podem relacionar-se umas com as outras é por discutirem seus problemas. Se o ministério em nossas igrejas estiver baseado em reagir aos problemas que ocorrem às pessoas, muitas não receberão nenhuma atenção, porque são mais reservadas em compartilhar seus problemas. O alvo é levar as pessoas em direção a um viver santo e ao conhecimento de Deus, quer estejam enfrentando problemas, quer não. Esta é a razão por que proclamamos a Cristo, "advertindo a todo homem e ensinando a todo homem em toda a sabedoria, a fim de que apresentemos todo homem perfeito em Cristo" (Cl 1.28).

Portanto, pergunte a si mesmo se o seu ministério é reativo ou proativo. Se na maior parte do tempo você estiver lidando com os problemas das pessoas, não terá energia para implementar treinamento proativo e nova obra de crescimento. Se em seu ministério você adota uma abordagem de solução de problemas, as pessoas que têm necessidades mais críticas dominarão seus programas, e essas necessidades hão de fatigá-lo e exauri-lo, reduzindo a eficácia de seus outros ministérios.

6. DO PRENDER-SE A MINISTÉRIO ORDENADO PARA O DESENVOLVER LIDERANÇA DE EQUIPE

As denominações estão corretas em ordenar e estabelecer ministros para serem pastores fiéis do rebanho de Cristo. Entretanto, há diversas maneiras pelas quais a prática de ordenação obstrui o treinamento ministerial nas igrejas. Primeiramente, se os únicos "verdadeiros" ministros são pessoas ordenadas pela denominação, nossas igrejas não terão qualquer incentivo para encorajar outros que não são ordenados a testarem seus dons de pregação e ensino. Em segundo, se a política se limita a preencher vagas ministeriais em igrejas que estão sem pastores, por que devemos procurar evangelistas e plantadores de igreja que poderiam desenvolver uma nova obra? Em terceiro, tendemos a selecionar para o treinamento pessoas que se encaixam no molde do ministro ordenado, ignorando o fato de que algumas pessoas dotadas podem não se encaixar adequadamente na tradição ministerial e que seus dons podem levá-las a começar algo inédito para o evangelho fora das estruturas denominacionais existentes.

No pensamento tradicional, espera-se que o ministro ordenado de uma igreja realize todos os ministérios públicos da Palavra e das ordenanças, visitação pastoral, evangelização, classes de ensino da Escritura e mais. Contudo, se devemos nos focalizar em treinar, isto significa ministério de equipe. Os membros de igreja são frequentemente contrários a ministério de equipe por várias razões. Primeiramente, o treinamento parece elitista, visto que somente alguns poucos são selecionados. Em segundo, alguns cristãos querem apenas que o "verdadeiro" ministro pregue ou visite e não ficam contentes quando ele é substituído por um aprendiz ou um ministro leigo. Por fim, o tempo que o ministro gasta treinando a equipe é visto frequentemente como uma distração de seus deveres pastorais. Todavia, os benefícios de equipe ministerial são muitos; por isso, vale a pena liberarmos nossos pastores para que tenham o tempo e o espaço que precisam para desenvolverem eles mesmos uma equipe.

7. DO FOCALIZAR-SE EM GOVERNO DE IGREJA PARA O FORMAR PARCERIAS DE MINISTÉRIO

Questões concernentes ao modo como as igrejas são governadas dominam frequentemente o ministério local. Em um nível, isto deve ser esperado, porque todas as denominações são definidas parcialmente por seu entendimento distintivo de governo de igreja; e é importante que uma igreja seja fiel a seu legado evangélico. Entretanto, comprometimento inflexível com uma forma de governo específica pode destruir o treinamento. Igrejas podem se ver gastando muito tempo em debates de questões como "onde os ministros aprendizes e as equipes de ministério se encaixam em nossas estruturas? Eles são presbíteros, diáconos, ministros ou membros de comissão da igreja?" Talvez seja mais proveitoso pensarmos nestas coisas em termos de parcerias de ministério e não em estruturas de governo.

Outra maneira de pensarmos nisto é que os presbíteros e os líderes da congregação devem ser eles mesmos desenvolvedores ativos da videira, antes de pensarmos em confiar-lhes responsabilidade de supervisão. Eles devem ser aquele tipo de pessoa que lê a Bíblia com outras pessoas, um a um, e compartilha Cristo com seus vizinhos.

8. DO DEPENDER DO TREINAMENTO DE INSTITUIÇÕES PARA O ESTABELECER O TREINAMENTO LOCAL

Colocar juntos pastores eruditos e dotados para prover treinamento teológico acadêmico e rigoroso é uma estratégia sábia. Esse tipo de treinamento é essencial tanto para ministros leigos quanto para ministros ordenados. Mas não se deve esperar que uma faculdade proporcione treinamento total no caráter, na convicção e na habilidade que são exigidos de ministros e cooperadores. Muito disto deve ser feito por meio do treinamento "durante o servir" na vida da igreja. Portanto, o treinamento em instituições é ideal, se a educação em faculdades e o treinamento nas igrejas puderem acontecer juntos. Mas talvez isto nem sempre seja possível acontecer concomitantemente. Por exemplo, em nossa parte do mundo é comum educação teológica formal ser "inserida" entre um ministério de aprendizado antes da faculdade e um serviço de treinamento prático na igreja depois da faculdade. (Quanto a outros comentários sobre aprendizado de ministério local, ver capítulo 11.)

Há também muitas oportunidades para as igrejas integrarem o treinamento formal ou externo ao seu treinamento local e crescimento de pessoas – por exemplo, a participação de um programa de educação à distância para treinar pessoas leigas em teologia, bem como em outras áreas de estudo.

9. DO FOCALIZAR-SE EM PRESSÕES IMEDIATAS PARA O OBJETIVAR A EXPANSÃO DE LONGO PRAZO

Somos consumidos facilmente por mantermos em andamento programas ministeriais. O urgente substitui o importante, e todos pensam que devem cuidar primeiro de sua agenda. Sabemos que treinar líderes nos ajudará a manter e expandir o ministério, mas precisamos de todas as nossas energias para manter os programas em andamento. Entretanto, se tirarmos nosso foco de pressões imediatas e estabelecermos como alvo a expansão de longo prazo, as pressões que enfrentamos se tornarão menos imediatas e podem até desaparecer.

10. DO ENGAJAR-SE EM ADMINISTRAÇÃO PARA O ENGAJAR-SE EM MINISTÉRIO

Os pastores precisam realmente ser administradores responsáveis dos recursos a eles confiados e, por isso, sempre têm certa quantidade de administração que devem realizar. Mas a armadilha para eles é ficarem tão envolvidos no exercício administrativo que enfraqueçam o ministério de ensino e treinamento. Quantas horas por semana seu ministério consome em reuniões de comissões, administração de patrimônio, organização de programas ou condução de negócios da igreja? Você poderia treinar outros para assumirem parte desta obra? O seu pastor poderia ser aliviado de parte da sobrecarga administrativa, para que pudesse dedicar tempo ao treinamento de um ou dois novos líderes?

11. DO BUSCAR O CRESCIMENTO DA IGREJA PARA O DESEJAR O CRESCIMENTO DO EVANGELHO

Quando gastamos tempo e recursos em treinar líderes, logo ficamos com medo de perdê-los. Entretanto, um de nossos alvos em treinar pessoas deve ser encorajar algumas delas a receberem treinamento formal posterior, a fim de que sigam para o ministério denominacional ou missionário. Devemos ser exportadores de pessoas treinadas, em vez de acumuladores de pessoas treinadas. Em uma igreja pobre de recursos, isso pode ser algo difícil de se fazer. Até em igrejas que têm muitos líderes, há exigência de mudança e retreinamento frequentes. Mas nossa visão da obra do evangelho deve ser global, bem como local: o alvo não é o crescimento da igreja (no sentido de nossa igreja local expandir em número de membros, orçamento, reputação e plantação de igrejas), e sim o crescimento do evangelho. Se treinarmos e enviarmos obreiros a novos campos (tanto locais quanto globais), nosso ministério local pode não crescer em números, mas o evangelho avançará por meio destes novos ministros da Palavra.

◇◇◇◇◇◇◇◇

Tentaremos ilustrar o que estas mudanças de mentalidade significam na prática com apenas um exemplo básico.

Imagine que um cristão razoavelmente firme diga a você após o culto de domingo de manhã: "Veja, gostaria de me envolver mais aqui e oferecer alguma contribuição, mas sinto-me como se não houvesse nada para eu fazer. Estou do lado de fora. Ninguém me pede que faça parte de uma comissão ou lidere estudos bíblicos. O que posso fazer?"

O que você pensaria ou diria imediatamente? Começaria a pensar em algum evento ou programa que deveria começar e no qual essa pessoa poderia ajudar? Algum trabalho que precisaria ser feito? Algum ministério ao qual ela poderia juntar-se e dar apoio?

É desta maneira que costumamos pensar sobre o envolvimento de membros de igreja na vida congregacional – em termos de trabalhos e funções: recepcionista, líder de estudo bíblico, professor de Escola Dominical, tesoureiro, presbítero, músico, líder de louvor e assim por diante. A implicação desta maneira de pensar na vida da congregação é clara: se todos os trabalhos e funções estão ocupados, não há realmente nada a fazer nesta igreja; estou reduzido a ser um passageiro; esperarei até que seja convocado a fazer alguma coisa. A implicação para o corpo pastoral é semelhante: manter as pessoas envolvidas e ativas significa achar trabalhos para elas fazerem. De fato, os gurus de crescimento de igreja dizem que dar às pessoas algum trabalho a fazer dentro dos seis primeiros meses de sua união na igreja é vital para elas se sentirem pertencentes ao grupo.

No entanto, se a verdadeira obra de Deus é uma obra pessoal – ou seja, falar piedosamente a sua Palavra, de uma pessoa para outra – então, os trabalhos nunca estão todos ocupados. As oportunidades para que os cristãos ministrem pessoalmente aos outros são ilimitadas.

Portanto, você poderia parar e responder a seu amigo: "Você está vendo aquele homem sentado sozinho ali? É o marido de Julie. Ele está alheio às coisas aqui. De fato, não tenho certeza se ele já se tornou cristão. O que você acha de ser apresentado a ele e acertar um compromisso de tomarem café uma vez a cada 15 dias e lerem a Bíblia juntos? Ou veja aquele casal ali? Ambos são recém-convertidos e precisam realmente de encorajamento e instrução. Por que você e sua esposa não gastam tempo com eles, procuram conhecê-los, para lerem a Bíblia e orarem juntos uma vez por mês? E, se você ainda dispõe de tempo e quer contribuir mais, comece a orar por pessoas de sua rua e, depois, convide-as para um churrasco em sua casa. Esse é o primeiro passo em direção a falar com eles sobre o evangelho ou a convidá-los para algo na igreja".

É claro que há uma chance de que a pessoa diga: "Mas não sei como fazer essas coisas! Não tenho certeza de que sei o que dizer ou por onde começar?"

A isso você pode responder: "Muito bem. Vamos começar a nos reunir, e eu posso treiná-lo".

Ora, se você é um pastor e está lendo este livro, a sua reação nesta altura pode ser algo assim: "Bem, agora sei que estes caras estão realmente vivendo um sonho. Em seu mundo de fantasia, supõem que eu tenho tempo para me encontrar individualmente com todos os membros de minha congregação, treiná-los e instruí-los de modo pessoal, para que eles, por sua vez, possam ministrar aos outros. Esses caras já viram a minha agenda? Têm *qualquer* ideia da pressão sob a qual estou? Se isso é o que eles entendem por mudança de mentalidade, para mim parece mais uma explosão de cérebro!"

Bem, não vimos a sua agenda, mas, se ela é semelhante à agenda de pastores, conhecemos muito bem a pressão sob a qual você está. E, em breve, chegaremos à essência de como estas mudanças de mentalidade se desenvolvem no dia a dia da vida das igrejas.

No entanto, há um trabalho bíblico vital que precisa ser feito primeiro. Para entendermos os fundamentos bíblicos que nos guiam a refocalizar nosso ministério em pessoas e não em estruturas, temos de voltar atrás e reexaminar nossas inferências essenciais sobre o que Deus está fazendo no mundo, como ele o está fazendo, quem ele usa para fazê-lo e o que isso significa para o discipulado e o ministério cristão.

Capítulo 3

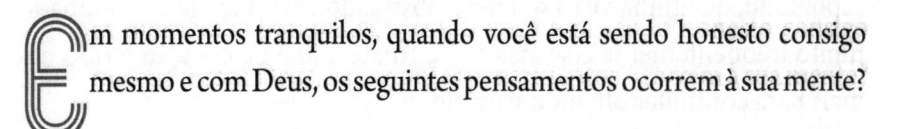

O QUE DEUS ESTÁ FAZENDO NO MUNDO?

Em momentos tranquilos, quando você está sendo honesto consigo mesmo e com Deus, os seguintes pensamentos ocorrem à sua mente?

Deus, o que estás fazendo?

Sabemos que tu és forte, poderoso, majestoso. Tu governas sobre tudo. Tu sustentas o mundo em tuas mãos.

Mas, até quando nos deixarás desta maneira?

Estamos te implorando crescimento, vigor, uma *reviravolta*. Tu sabes o verdadeiro estado das coisas. Os números estão parados, o ânimo está esmorecendo, a situação financeira está caótica.

Somos uma piada. O mundo ri de nós.

Todo erro e escândalo, real ou imaginário, é trazido à baila com alegria pelos répteis da mídia bebericadores de café expresso com leite – aqueles que usam óculos da última moda e têm as opiniões "corretas".

Estás irado conosco? Quando tu farás algo para mudar tudo isso?

Porque não esquecemos que tudo é ideia tua. Em primeiro lugar, tu plantaste a videira – limpaste o terreno para ela no quintal, cavaste um buraco, ergueste a treliça, e nós florescemos. Mas, olha para nós agora! Estamos sendo comidos vivos.

Restaura-nos, ó Senhor, Deus dos Exércitos! Faze resplandecer o teu rosto, e seremos salvos!

Exceto pelas duas últimas sentenças, que são uma citação direta, o resto deste pequeno arroubo é uma maneira diferente de expressar o texto de Salmos 80, escrito num tempo em que Israel se sentia como muitas igrejas de hoje. Os dias de poder, redenção e vitória de Deus pareciam estar no passado. E o favor de Deus – o esplendor de seu rosto sobre eles – estava preocupantemente ausente. Para eles, Deus parecia um pai desapontado, que tinha visto seu filho obstinado embaraçá-lo e humilhá-lo muito frequentemente e se afastara, entristecido e de coração ferido demais para continuar olhando para ele.

Não é difícil acharmos hoje esse tipo de linguagem em nosso coração e em nossos lábios. Nossas igrejas hesitam e tropeçam. O crescimento é demorado, não existente ou (usando aquele maravilhoso eufemismo moderno) "negativo". Perambulamos em nossos ministérios, com nosso entusiasmo aumentando e diminuindo, mas a ação real parece sempre estar em algum outro lugar – ou em algum outro movimento cristão, ou no próprio mundo. Presidentes e primeiros-ministros são eleitos, troféus são ganhos e perdidos, dramas de TV são assistidos por milhões. Quando "todas as notícias que convém ser publicadas" são cuidadosamente lidas, não há nenhuma menção do que está acontecendo em nossa pequena igreja. Não somos notícias. Quando um casal passa por nossa igreja no

O que Deus está fazendo no mundo?

domingo de manhã, caminhando com seu cachorro em direção ao parque, o que eles pensam? "Este é um lugar onde há ação!" Suspeito que não. Mais provavelmente, eles pensam: "Pobres almas desorientadas!", ou: "Quão antiquados!", ou: "Eu não pensava que pessoas ainda fizessem isso", ou qualquer outra coisa desdenhosa.

As igrejas modernas (pelo menos no Ocidente) podem não estar sob o ataque direto e o desastre que Israel estava experimentando na ocasião do Salmo, mas certamente ainda nos perguntamos o que Deus está fazendo no mundo. Ele ainda está ouvindo? Será que Deus vai agir? Eu pensava que ele era o Senhor e Soberano de tudo – se isso é verdade, qual é o plano?

Muitos dos salmos sondam estas profundezas. Mas o Salmo 80 tem a distinção de explorar estas ideias por meio da figura de Israel como a videira de Deus:

> Restaura-nos, ó Deus dos Exércitos;
> faze resplandecer o teu rosto, e seremos salvos.
> Trouxeste uma videira do Egito,
> expulsaste as nações e a plantaste.
> Dispuseste-lhe o terreno,
> ela deitou profundas raízes e encheu a terra.
> Com a sombra dela os montes se cobriram,
> e, com os seus sarmentos, os cedros de Deus.
> Estendeu ela a sua ramagem até ao mar
> e os seus rebentos, até ao rio.
> Por que lhe derribaste as cercas,
> de sorte que a vindimam todos os que passam pelo caminho?
> O javali da selva a devasta,
> e nela se repastam os animais que pululam no campo.
> (Salmos 80.7-13).

Neste mundo, nos vemos imersos no meio de uma história que tem sido desenvolvida desde antes que houvesse coisas como videiras ou mesmo terra em que pudessem ser plantadas. É a história do que Deus está realmente fazendo no planeta Terra. Começa com seu plano de criar todas as coisas por e para seu Filho e termina com os novos céus e uma nova terra, habitada pelo povo de Deus ressuscitado e unido a Jesus Cristo.

No entanto, aqui no Salmo 80 a situação é precária. Depois da Queda e do julgamento do Dilúvio e de Babel, Deus planejou ajuntar um povo de toda nação para si mesmo, e formar para si mesmo uma nação específica procedente de Abraão: Israel. Este plano passou a se desenvolver no decorrer de séculos. A nação cresceu como uma planta jovem e vigorosa, e, apesar do sofrimento de sua escravidão no Egito, Deus a resgatou, expulsou nações e a plantou no terreno que ele mesmo havia preparado.

Nesta altura, todo o projeto de Deus estava à beira da ruína. As cercas da videira haviam sido derrubadas, e todos os que passavam pelo caminho – incluindo animais que tinham presas e de rabo ondulado – se serviam da oportunidade de comer as uvas. Se ampliarmos um pouco mais a metáfora, podemos dizer que a própria videira não era saudável. Estava infectada de desobediência, infidelidade e adoração de falsos deuses.

É neste ponto desagradável na história dos planos de Deus que o salmista clama por misericórdia, resgate e restauração, no tempo de Deus e à sua maneira.

O QUE OS PROFETAS SABIAM E NÃO SABIAM

Os profetas expressam de muitas maneiras esses temas gêmeos de julgamento e misericórdia, mas, visto que começamos com a figura da videira, vamos continuar com ela. Oseias condenou Israel como uma videira luxuriante, mas, em última análise, falsa e condenada. Contudo, ele também profetizou que Deus faria a videira florescer novamente:

O que Deus está fazendo no mundo?

Israel é vide luxuriante, que dá o fruto; segundo a abundância do seu fruto, assim multiplicou os altares; quanto melhor a terra, tanto mais belas colunas fizeram. O seu coração é falso; por isso, serão culpados; o SENHOR quebrará os seus altares e deitará abaixo as colunas (Os 10.1-2).

Curarei a sua infidelidade, eu de mim mesmo os amarei, porque a minha ira se apartou deles. Serei para Israel como orvalho, ele florescerá como o lírio e lançará as suas raízes como o cedro do Líbano. Estender-se-ão os seus ramos, o seu esplendor será como o da oliveira, e sua fragrância, como a do Líbano. Os que se assentam de novo à sua sombra voltarão; serão vivificados como o cereal e florescerão como a vide; a sua fama será como a do vinho do Líbano (Os 14.4-7).

Por todas as aparências exteriores, parecia que nada estava acontecendo, exceto pecado, fracasso e julgamento. Mas, apesar disso, os profetas prometeram que, procedente das cinzas, Israel ressurgiria de novo pelo poder de seu Deus que dá vida. A vide floresceria uma vez mais e se tornaria uma planta linda e conhecida em todo o mundo. Mas o caminho para estas glórias seria por meio de sofrimento e julgamento. Nenhuma das consequências do pecado seria evitada. De algum modo, em um tempo futuro, Deus traria seu povo, por meio de juízo, ao resplandecer de sua salvação.

Todas as promessas de Deus são "sim" e "amém" em Jesus Cristo (2 Co 1.20), e esta não é uma exceção. O apóstolo Pedro falou sobre o cumprimento da promessa profética em sua primeira carta dirigida aos descendentes de Israel espalhados pelo mundo antigo, os "eleitos que são forasteiros da Dispersão". Em um dos mais gloriosos parágrafos de todo o Novo Testamento, ele escreveu:

> Foi a respeito desta salvação que os profetas indagaram e inquiriram, os quais profetizaram acerca da graça a vós outros destinada, investigando, atentamente, qual a ocasião ou quais as circunstâncias oportunas, indicadas pelo Espírito de Cristo, que neles estava, ao dar de antemão testemunho sobre os sofrimentos referentes a Cristo e sobre as glórias que os seguiriam. A eles foi revelado que, não para si mesmos, mas para vós outros, ministravam as coisas que, agora, vos foram anunciadas por aqueles que, pelo Espírito Santo enviado do céu, vos pregaram o evangelho, coisas essas que anjos anelam perscrutar (1 Pe 1.10-12).

Poucas vezes encontramos um *continuum* de espaço e tempo teológico condensado em tão poucas palavras. Começa com os profetas falando da salvação graciosa que deveria ser revelada, os quais, apesar disso, não foram capazes de entender com exatidão quando e por meio de quem a salvação viria. E termina com anjos anelando perscrutar o extraordinário cumprimento da promessa profética.

O que os profetas sabiam era que o caminho para a glória seria por meio dos sofrimentos do Cristo de Deus – exatamente o que deveríamos esperar quando pensamos no assunto. A mensagem de Deus para Israel por meio dos profetas sempre foi esta: vocês sofrerão por causa do pecado, mas glória e restauração os receberão do outro lado. Quando o Cristo veio para ficar no lugar de Israel, para ser Israel, o que deveríamos esperar dele, senão que sofreria julgamento por causa do pecado, antes de ser vindicado e glorificado depois do julgamento?

Séculos depois, isso foi exatamente o que Jesus Cristo fez – sofreu e morreu pelo pecado, ressuscitando triunfante ao lugar de glória. E, em tudo isso, diz Pedro aos seus leitores, estamos em melhor condição do que os profetas do passado e do que os anjos do céu – não somente porque agora a promessa está cumprida, mas também porque tudo nos tem sido revelado claramente "por aqueles que, pelo Espírito Santo enviado do céu, vos pregaram o evangelho".

O que isto significa? A pregação das boas-novas foi bastante clara. Alguns evangelistas pregaram o evangelho para eles – as novas de que Jesus Cristo morrera pelo pecado e ressuscitara para a glória e de que eles deviam se voltar para Cristo e colocar sua fé nele. Mas os evangelistas fizeram seu trabalho "pelo Espírito Santo enviado do céu"; o Espírito Santo foi também, em algum sentido, o evangelista. Assim como o Espírito de Cristo agiu nos profetas, assim também o mesmo Espírito agiu em e por meio dos evangelistas – e isso significa que o Espírito lhes deu a mensagem apostólica que proclamaram e ousadia para que a proclamassem, bem como agiu no coração dos ouvintes para que produzisse uma resposta.

Os leitores de Pedro haviam experimentado essa resposta. Foram regenerados para uma viva esperança (1.3), nascidos de novo não de semente corruptível, mas de semente incorruptível, ou seja, a Palavra viva e eterna de Deus, o evangelho que lhes fora pregado (1.23-25).

Uma figura impressionante surge deste pequeno e extraordinário parágrafo em 1 Pedro. Em cumprimento de seus planos antigos, Deus realizou a salvação ao enviar seu Cristo para passar por sofrimento e voltar à glória. Deus está agora anunciando estas novas momentosas por meio de seu Espírito Santo que opera por intermédio de evangelistas humanos. E, servindo-se deste método, ele está salvando pessoas, trazendo-as ao novo nascimento e dando-lhes uma herança incorruptível, eterna e inabalável em seu reino eterno.

O QUE DEUS ESTÁ FAZENDO AGORA

Isto é o que Deus está fazendo agora no mundo: a pregação do evangelho fomentada pelo Espírito que leva à salvação de almas. É o programa, a agenda, a prioridade, o foco, o projeto de Deus – ou qualquer outra metáfora que você deseje usar. E, por meio deste plano, Deus está reunindo um novo povo, centrado em Cristo para ser seu próprio povo: uma tranquila, frequente e crescente profusão de folhas na grande videira de seu reino.

Isto é o que vemos acontecer em Atos. Nós o chamamos Atos dos Apóstolos, mas talvez seria melhor designá-lo "Os atos da Palavra e do Espírito de Deus por meio dos apóstolos", porque isso é o que ele expressa. A tarefa apostólica era pregar, dar testemunho, proclamar a Palavra e fazer isso sob o poder e a capacitação do Espírito de Deus. Os apóstolos afirmaram esta prioridade em Atos 6, quando mostraram quão determinados estavam para manterem-se dedicados "à oração e ao ministério da palavra".

Depois, o livro de Atos nos diz quatro vezes que a "Palavra de Deus (ou do Senhor)" crescia, se multiplicava e se propagava, quase como que se tivesse vida em si mesma. E, em cada passo deste crescimento, o Espírito estava agindo, enchendo os pregadores de ousadia e poder para falar e outorgando fé e vida nova àqueles que ouviam – como a importantíssima conversão de Cornélio e sua família em Atos 10, quando o Espírito Santo caiu sobre "sobre todos os que ouviam a palavra", enquanto Pedro ainda falava. É interessante o modo como este evento é descrito depois, quando Pedro o relatou em Jerusalém, conforme Atos 11. Quando Pedro terminou, até aqueles céticos partidários da circuncisão foram obrigados a glorificar a Deus, dizendo: "Também aos gentios foi por Deus concedido o arrependimento para vida" (v.18). Salvação e vida nova surgem quando a Palavra de Deus é pregada, mas somente Deus outorga o arrependimento – somente se o Espírito Santo cair sobre aqueles que ouvem a Palavra, para que, em resposta, seu coração morto seja trazido à vida.

Paulo descreveu o progresso do evangelho entre os colossenses quase da mesma maneira. Epafras pregara a Palavra de Deus aos colossenses, e Paulo agradeceu a Deus pelo fato de que eles, ao ouvirem a pregação, responderam com fé. E, como em Atos, Paulo descreveu o evangelho

O que Deus está fazendo no mundo?

como que possuindo uma vida exultante e próspera em si mesmo: "...o evangelho, que chegou até vós; como também, em todo o mundo, está produzindo fruto e crescendo, tal acontece entre vós, desde o dia em que ouvistes e entendestes a graça de Deus na verdade" (Cl 1.5-6).

Em todo o mundo, o evangelho está se espalhando, se propagando, crescendo, florescendo e produzindo frutos. Pessoas ouvem o evangelho e, pela misericórdia de Deus, respondem e são salvas. Mas não para aí. Uma vez que o evangelho é plantado e se enraíza na vida de pessoas, continua crescendo nelas. Suas vidas produzem fruto. Elas crescem em amor, piedade, conhecimento e sabedoria espiritual, para que andem de uma maneira digna de sua vocação, agradando em tudo ao Pai, produzindo fruto em toda boa obra (Cl 1.9-10; 2.6-7).

Nestes dias, falamos muito sobre crescimento de igreja. E, quando pensamos em nossa falta de crescimento, pensamos na falta de crescimento em nossa própria congregação: na estagnação ou declínio em números, no oscilante estado das finanças e, talvez, nas iminentes questões de propriedades.

No entanto, é interessante que o Novo Testamento fala pouco sobre crescimento de igreja e fala frequentemente sobre "crescimento do evangelho" ou crescimento da "Palavra". O foco está no progresso da Palavra de Deus fomentado pelo Espírito, à medida que ela avança pelo mundo, de acordo com o plano de Deus. Voltando à nossa metáfora da videira, a videira é a Palavra capacitada pelo Espírito, espalhando-se, propagando-se e crescendo em todo o mundo, retirando pessoas do reino das trevas e trazendo-as para o reino da luz do Filho amado de Deus e, depois, produzindo frutos em suas vidas à medida que elas crescem no conhecimento e no amor de Deus. A videira é Jesus, e, quando somos enxertados nele, produzimos fruto (Jo 15.1-11).

É claro que isto resulta em congregações que crescem e são edificadas. Mas a ênfase não está no crescimento da congregação como estrutura – em números, finanças e sucesso – e sim no crescimento do evangelho, à medida que ele é pregado e pregado de novo sob o poder do Espírito. De fato, as congregações do Novo Testamento, pelo que podemos dizer, eram geralmente pequenos ajuntamentos que se reuniam em casas. Eram exteriormente inexpressivas e tinham infraestrutura mínima. Mas Deus continuou atraindo pessoas a essas congregações por meio do evangelho. Ou, expressando de outra maneira, Cristo continuou fazendo o que, conforme Mateus 16, ele disse que haveria de fazer. Continuou edificando sua igreja.

TRÊS IMPLICAÇÕES

Talvez você não esteja acostumado a pensar na obra de Deus no mundo precisamente nestes termos, mas creio que você percebe as implicações. Há várias, e as elucidaremos nos capítulos seguintes. Mas, nesta altura, devemos notar três consequências importantes desta visão dos propósitos de Deus no mundo.

A primeira e mais óbvia é que, se isto é realmente o que Deus está fazendo em nosso mundo, então é tempo de dizer adeus às nossas ambições egoístas e insignificantes e de nos dedicarmos à causa de Cristo e ao seu evangelho. Deus tem um plano que determinará o destino de cada pessoa e nação do mundo, e esse plano está se desenvolvendo aqui e agora, à medida que o evangelho de Cristo é pregado e o Espírito Santo é derramado. Há algo mais vital a ser feito no mundo? É mais importante do que nosso trabalho, nossa família, nossos passatempos – sim, mais importante do que o conforto e a segurança da vida familiar na igreja. Precisamos resgatar o radicalismo do que Jesus disse ao jovem que queria voltar e sepultar seu pai: "Deixa aos mortos o sepultar os seus próprios mortos. Tu, porém, vai e prega o reino de Deus" (Lc 9.60).

A segunda implicação é que o crescimento que Deus está buscando em nosso mundo é o crescimento em *pessoas*. Ele está agindo por meio de sua Palavra e de seu Espírito para trazer pessoas ao seu reino, vê-las nascidas de novo como novas criaturas e vê-las amadurecendo e produzindo frutos como servos de Cristo. Independentemente dos outros sinais de vida e crescimento que busquemos em nossas igrejas – envolvimento, atividades, novos frequentadores, finanças, número de empregados, prédios e assim por diante – o único crescimento que tem importância nos planos de Deus é o crescimento de crentes. Isto é o que a videira próspera realmente é: indivíduos crentes, nascidos de novo e enxertados em Cristo por ação da Palavra e do Espírito, integrados em comunhão mutuamente edificante, uns com os outros.

A terceira implicação momentosa é que este povo que cresce existe somente por meio do poder do Espírito de Deus, quando ele aplica sua Palavra ao coração das pessoas. Essa é a maneira pela qual as pessoas são convertidas, e essa é a maneira pela qual as pessoas crescem em maturidade em Cristo. Plantamos e regamos, mas Deus opera o crescimento. Falamos a Palavra de Deus a alguém, e o Espírito capacita a resposta. Isto pode acontecer de modo individual, em pequenos grupos e em grandes grupos. Pode acontecer durante uma conversa com um vizinho, um jantar, um café da manhã na igreja. Pode acontecer em um púlpito ou em um pátio. Pode ser uma exposição formal da Bíblia, ou um estudo de uma de suas passagens, ou alguém expondo uma verdade baseada na Escritura, sem citar o texto da Bíblia.

No entanto, apesar do número ilimitado de contextos em que isso pode ocorrer, o que acontece é sempre a mesma coisa: um cristão apresenta uma verdade da Palavra de Deus a alguém, orando para que Deus faça a Palavra produzir fruto por meio da obra interior do Espírito Santo.

Isso é obra de videira. Tudo mais é treliça.

Capítulo 4

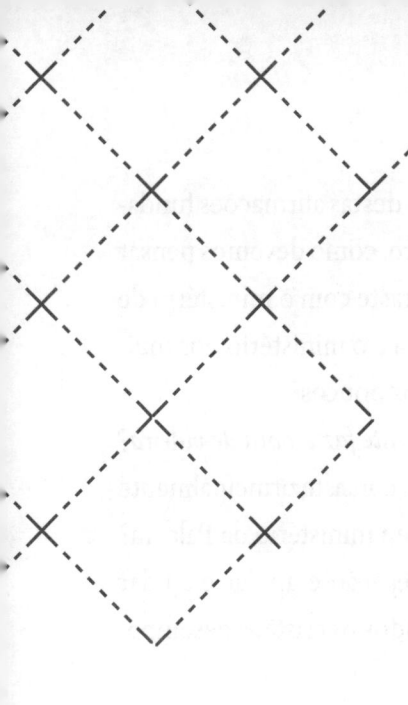

TODO CRISTÃO É UM TRABALHADOR DE VIDEIRA?

No capítulo anterior, apresentamos uma proposição simples mas profunda: a obra que Deus está fazendo no mundo agora, nestes últimos dias entre a primeira e a segunda vinda de Cristo, é reunir um povo em seu reino por meio da proclamação dedicada do evangelho. Deus está fazendo sua videira crescer por meio de sua Palavra e de seu Espírito.

A maioria dos cristãos evangélicos não hesitaria em concordar com estas ideias. Sim, eles diriam: o crescimento cristão acontece realmente porque Deus o realiza por meio de sua Palavra sob o poder doador de vida do seu Espírito Santo. E, sim, eles concordariam: isto significa que as duas atividades fundamentais do ministério cristão são *proclamar* (falar a Palavra) e *orar* (clamar a Deus que derrame seu Espírito para tornar eficaz sua Palavra no coração das pessoas).

Onde as coisas se complicam é na tradução destas afirmações fundamentais em ação nas nossas igrejas. Em específico, como devemos pensar sobre o ministério de todos os cristãos em contraste com o ministério de pastores, mestres e evangelistas ordenados? Qual é o ministério dos muitos, e como ele se relaciona com o ministério dos poucos?

Ou, em palavras mais precisas, *quem realmente faz a obra de videira*? O trabalho de pastores-mestres e de evangelistas consiste principalmente em nutrir e fazer a videira crescer por meio do seu ministério da Palavra? A principal contribuição do restante da congregação é apoiar e ajudar esta obra por manter e fortalecer a treliça? Ou todos os cristãos desempenham um papel na obra de videira?

Estas não são perguntas simples e já foram respondidas de maneiras diferentes na história do cristianismo. Desde a Reforma, com sua insistência no sacerdócio de todos os crentes, os cristãos têm adotado diferentes modelos e tradições de ministério – alguns em que o líder ou pastor é tão central e dominante, que os congregados são pouco mais do que espectadores, e outros em que o anticlericalismo chega ao ponto de abolir completamente o papel de "pastor" ou "supervisor".

O que a Bíblia diz?

DISCÍPULOS CONFESSAM

No nível mais básico, a Bíblia diz que Jesus não tem duas classes de discípulos: aqueles que dedicam sua vida ao serviço de Cristo e aqueles que não a dedicam. A chamada ao discipulado é a mesma para todos. Jesus disse: "Se alguém quer vir após mim, a si mesmo se negue, tome a sua cruz e siga-me. Quem quiser, pois, salvar a sua vida perdê-la-á; e quem perder a vida por causa de mim e do evangelho salvá-la-á" (Mc 8.34-35). Não há dois tipos de discípulos – o grupo mais íntimo que serve a Jesus e ao seu evangelho e os demais. Ser um discípulo é ser um escravo de Cristo e confessar seu nome abertamente diante dos outros: "Portanto, todo aquele que me confessar diante dos homens, também eu o confessarei diante de meu Pai, que está nos céus; mas aquele que me negar diante dos homens, também eu o negarei diante de meu Pai, que está nos céus" (Mt 10.32-33).

A chamada ao discipulado é uma chamada a confessarmos nossa lealdade a Jesus diante de um mundo hostil, a servirmos a Jesus e à sua missão, não importando o custo. Não se preocupe com o estar presente no funeral de seu pai, Jesus disse a um inquiridor: "Deixa aos mortos o sepultar os seus próprios mortos. Tu, porém, vai e prega o reino de Deus" (Lc 9.60).

Em outras palavras, a Grande Comissão não é apenas para os Onze. É a agenda básica para todos os discípulos. Ser um discípulo é ser um fazedor de discípulo.

O radicalismo desta exigência parece estar frequentemente muito distante da singularidade de nossos hábitos e costumes cristãos normais. Vamos à igreja, onde cantamos algumas canções, tentamos nos concentrar nas orações e ouvimos um sermão. Depois, conversamos com as pessoas, voltamos para casa e seguimos uma semana normal de trabalho, estudo ou o que quer que façamos, em tempo para retornarmos na semana seguinte. Podemos até participar de um grupo de estudo bíblico. Mas alguém que nos observa de fora poderia dizer: "Veja, ali está alguém que renunciou sua vida para seguir Jesus Cristo e sua missão"?

Quando olhamos para os primeiros discípulos, referidos no livro de Atos, vemos esta confissão e lealdade sendo exercida na prática, em face de oposição e perseguição. Sem dúvida, os apóstolos desempenharam um papel exemplar em testemunhar de Jesus, mas não foram os únicos que fizeram sua confissão publicamente. Como vemos claramente na magnífica oração por ousadia registrada em Atos 4, os primeiros discípulos cristãos consideravam-se todos "servos" de Jesus, e o Espírito Santo foi dado a todos eles para falarem em nome de Jesus:

> Agora, Senhor, olha para as suas ameaças e concede aos teus servos que anunciem com toda a intrepidez a tua palavra, enquanto estendes a mão para fazer curas, sinais e prodígios por intermédio do nome do teu santo Servo Jesus. Tendo eles orado, tremeu o lugar onde estavam reunidos; todos ficaram cheios do Espírito Santo e, com intrepidez, anunciavam a palavra de Deus (At 4.29-31).

O fato de que todos os discípulos falaram ousadamente em nome de Jesus não deve nos surpreender em Atos 4, porque Atos 2 sugere que esperemos isso. Quando o Espírito Santo desceu tão impressionantemente sobre os discípulos reunidos, desceu sobre todos eles, que começaram a declarar "as grandezas de Deus", como afirma o versículo 11.

Isto, disse Pedro, era apenas o que o profeta Joel havia dito que aconteceria. Nos "últimos dias", disse Joel, quando o Espírito de Deus fosse derramado sobre toda a carne, todos profetizariam – os jovens, os velhos, homens e mulheres, até os servos da família – todos declarariam a Palavra do Senhor (At 2.16-18). Todos dariam testemunho de Jesus, porque "o testemunho de Jesus é o espírito da profecia" (Ap 19.10).

Este padrão continua em todo o Novo Testamento. É claro que existem líderes, mestres, presbíteros, pastores e evangelistas – pessoas que têm papéis de liderança e responsabilidade para declarar a Palavra de Deus e pastorear seu povo – mas, com eles, há uma linha constante de referências ao "ministério da palavra" de cada e de todos os cristãos. Falar a Palavra de Deus visando ao crescimento da videira é o trabalho não dos poucos, mas dos muitos. Vejamos alguns exemplos.

FALANDO A PALAVRA DE DEUS UNS PARA OS OUTROS

Em Efésios 4, Paulo descreveu a famosa lista dos dons que o Cristo exaltado concedeu à igreja – apóstolos, profetas, evangelistas e pastores-mestres.

E, de modo semelhante, ele disse que o objetivo destes ministérios fundamentais da Palavra é "o aperfeiçoamento dos santos para o desempenho do seu serviço" ou "preparar os santos para a obra do ministério" (NVI). As traduções mais antigas colocam uma vírgula entre "preparar os santos" e "para a obra do ministério", fazendo o versículo significar que o trabalho dos ministros da Palavra era preparar os santos *e* a obra do ministério. O ministério deles incluía preparar os santos – e não que deveriam preparar os santos para o ministério que os próprios santos exerceriam.

Há boas razões para pensarmos que as traduções mais antigas estão realmente mais próximas do original. Contudo, quando examinamos os versículos seguintes, percebemos que isso faz grande diferença à nossa investigação. Paulo prosseguiu e disse que o alvo de todo este ministério (não importando quem o esteja realizando) é a edificação do corpo de Cristo para a maturidade unificada e doutrinariamente saudável. Não devemos ser levados de um lado para outro por qualquer vento de doutrina; pelo contrário, "seguindo a verdade em amor, cresçamos em tudo naquele que é a cabeça, Cristo, de quem todo o corpo, bem ajustado e consolidado pelo auxílio de toda junta, segundo a justa cooperação de cada parte, efetua o seu próprio aumento para a edificação de si mesmo em amor" (Ef 4.15-16).

A figura retratada aqui é a de todas as diferentes partes do corpo realizando sua função própria, cada parte trabalhando com as outras para o crescimento do corpo. Mas o que é comum nesta função multiforme das diferentes partes do corpo é seguir "a verdade em amor". Podemos, cada um, fazer isso de maneiras diferente, em contextos diferentes e com níveis diferentes de eficiência, mas a metodologia básica de crescimento do corpo é que todos os membros sigam "a verdade em amor".

Vemos uma figura semelhante quando lemos o capítulo 5 de Efésios. Quando Paulo exortou os crentes efésios a serem cheios do Espírito e não de vinho, o resultado seria que eles falariam uns aos outros em "salmos, hinos e cânticos espirituais", em contraste com o tipo de discurso e canto que tende a resultar do excesso de vinho. A obra de habitação do Espírito levaria os cristãos efésios a falar de modo espiritual uns com os outros – neste caso, por meio de cantar.

No entanto, não é somente por meio de cantar. Pouco adiante, em Efésios 6.4, os pais foram exortados a criar seus filhos na instrução do Senhor. Ensinar dentro da família é um ministério da Palavra vital exercido por todos os pais (e mães). As exigências para um homem ser um presbítero (em 1 Timóteo 3 e Tito 1) pressupõem que chefes de famílias piedosos estariam ensinando a suas famílias a Palavra de Deus.

Um ensino análogo aparece em Colossenses 3: "Habite, ricamente, em vós a palavra de Cristo; instruí-vos e aconselhai-vos mutuamente em toda a sabedoria, louvando a Deus, com salmos, e hinos, e cânticos espirituais, com gratidão, em vosso coração" (3.16). Desta vez é a Palavra de Deus que habita no meio deles, e não o Espírito, mas o resultado é o mesmo – e não deve surpreender-nos. O que resulta é um falar piedoso e encorajador de uns para com os outros – neste caso, ensinando e admoestando. Se o cantar é um modo como o ensino e a admoestação acontecem ou outro resultado de ter a Palavra habitando ricamente, isso é gramaticalmente difícil de se afirmar. E faz pouca diferença. O fato é que todos os cristãos colossenses deveriam ensinar e admoestar uns aos outros.

Romanos 15.14 também pressupõe que os cristãos ensinarão e instruirão uns aos outros: "E certo estou, meus irmãos, sim, eu mesmo, a vosso respeito, de que estais possuídos de bondade, cheios de todo o conhecimento, aptos para vos admoestardes uns aos outros".

O escritor da carta aos Hebreus expressou duas vezes esta mesma ideia. Primeiramente, no capítulo 3, ele disse:

> Tende cuidado, irmãos, jamais aconteça haver em qualquer de vós perverso coração de incredulidade que vos afaste do Deus vivo; pelo

Todo cristão é um trabalhador de videira?

contrário, exortai-vos mutuamente cada dia, durante o tempo que se chama Hoje, a fim de que nenhum de vós seja endurecido pelo engano do pecado (vv. 12-13).

Isto só pode significar que Deus quer que todos os cristãos falem uns com os outros regularmente, exortando e encorajando uns aos outros a permanecerem firmes em Cristo. E, no capítulo 10, ele expressou um argumento semelhante, em um dos poucos versículos do Novo Testamento que dizem que os cristãos devem "ir à igreja".

Consideremo-nos também uns aos outros, para nos estimularmos ao amor e às boas obras. Não deixemos de congregar-nos, como é costume de alguns; antes, façamos admoestações e tanto mais quanto vedes que o Dia se aproxima (vv. 24-25).

Um propósito central de congregar-nos, diz o escritor, é o encorajamento mútuo: estimularmos uns aos outros ao amor e às boas obras, enquanto esperamos o Dia de Cristo. É difícil entendermos como isto pode ser feito sem abrirmos a boca e falarmos uns com os outros.

Mas de todas as partes do Novo Testamento que lidam com o assunto do ministério dos poucos e dos muitos, a mais clara e mais instrutiva é a primeira carta de Paulo aos coríntios, arrogantes, talentosos, divididos e inclinados ao pecado.

Ora, os coríntios tinham problemas reais, tanto a respeito da natureza de liderança quanto a respeito de como cada membro deveria contribuir para a edificação da igreja. Em ambos os casos, eles pareciam pensar elevadamente – muito elevadamente de diferentes líderes, de modo que surgiram facções na igreja, dependendo de que líder alguém seguisse; e muito elevadamente de si mesmos e de seus dons, de modo que suas reuniões se tornaram um exercício caótico de competição, em que cada pessoa se focalizava mais em usar seus dons e não em encorajar realmente os outros.

Paulo aborda a questão de liderança em 1 Coríntios 1 a 4. Sua mensagem básica é que o evangelho de Cristo crucificado estabelece o modelo para a liderança cristã no ministério. É um ministério exercido em aparente fraqueza e insensatez, mas que, pelo poder do Espírito de Deus, traz salvação. Paulo e Apolo eram apenas trabalhadores braçais na lavoura de Deus. É Deus quem dá o crescimento, e, por isso, qualquer divisão baseada nas qualidades de líderes diferentes é absurda.

Nos capítulos 11 a 14, Paulo aborda a conduta das reuniões congregacionais dos coríntios e a contribuição que cada membro deveria fazer. Existe, é claro, uma longa história de debates quanto aos muitos detalhes destes capítulos (a natureza dos dons miraculosos e do falar em línguas, sem mencionar as instruções referentes a cobrir a cabeça, no capítulo 11, e o lugar da mulher no ministério). Todavia, em relação à nossa investigação sobre o "ministério dos muitos", os pontos importantes são claros e poderiam ser resumidos assim:

- O capítulo 11 pressupõe que tanto homens quanto mulheres orarão e profetizarão em suas reuniões.[1]
- O capítulo 12 enfatiza que, embora haja uma variedade de dons e de ministérios, todos nós somos membros de um único corpo em Cristo Jesus.
- O capítulo 13 dá o critério singular para o exercício destes dons: o amor. Cada um de nós faz sua contribuição não ao nosso próprio bem e sim ao bem dos outros.

---

1 Neste momento, não vamos entrar em detalhes sobre a questão (frequentemente controversa) do ministério de homens e mulheres nas congregações. Todavia, assim como o Novo Testamento presume o envolvimento e o "ministério da Palavra" de todos os cristãos, enquanto preserva um papel singular de liderança para pastores, mestres e presbíteros, assim também o Novo Testamento presume alguma forma de ministério da Palavra para mulheres na congregação (cf. 1 Co 11.4-5), enquanto preserva um papel único de ensino e liderança para homens (cf. 1 Co 14.33-35; 1 Tm 2.11-12).

Isto significa (como diz o capítulo 14) que devemos buscar e exercer aqueles dons que promovem mais bem aos outros, aqueles dons que edificam a congregação. A profecia recebe classificação elevada (acima de língua, por exemplo) porque consiste de palavras inteligíveis e edificantes.

O versículo que serve como resumo é 14.26:

> Que fazer, pois, irmãos? Quando vos reunis, um tem salmo, outro, doutrina, este traz revelação, aquele, outra língua, e ainda outro, interpretação. Seja tudo feito para edificação.

Estes capítulos recompensam uma leitura cuidadosa porque expressam de maneira admirável a singularidade e a diversidade do ministério de cada membro da congregação. Não somos todos iguais. Nem todos são "mestres" ou "profetas", e a maneira de trazermos encorajamento e edificação à congregação pode variar de acordo com a capacitação dada por Deus. Mas todos nós devemos buscar o mesmo alvo: edificar a congregação em amor. E esta edificação acontece por meio do falar (ou seja, do falar inteligível), quer seja uma palavra de exortação, um hino, uma revelação, uma interpretação de língua ou uma profecia.

Todos nós edificamos de maneiras diferentes, mas todos somos edificadores. Não temos todos a mesma função, mas somos todos exortados a que sejamos abundantes "na obra do Senhor, sabendo que, no Senhor, o vosso trabalho não é vão" (1 Co 15.58). É interessante que Paulo usou a mesma linguagem para descrever, alguns versículos depois, seu próprio ministério e o de Timóteo: "E, se Timóteo for, vede que esteja sem receio entre vós, porque trabalha *na obra do Senhor*, como também eu" (1 Co 16.10).

Apenas por ser um discípulo de Cristo e cheio do Espírito Santo da nova aliança, todo cristão tem o privilégio, a alegria e a responsabilidade de estar envolvido na obra que Deus está fazendo em nosso mundo, a "obra do Senhor". E a maneira fundamental como fazemos isto é por falarmos a verdade de Deus às outras pessoas em dependência do Espírito Santo.

TODO CRISTÃO É UM MISSIONÁRIO?

A maioria das referências que temos considerado nas epístolas se refere a cristãos falando a verdade da Palavra de Deus uns para os outros. E quanto a falar a Palavra para não cristãos?

É um tanto surpreendente o fato de que o Novo Testamento contenha relativamente poucas exortações no sentido de que crentes comuns falem o evangelho aos outros. Eruditos e missiólogos têm debatido as razões para isso. Uma resposta possível está na realidade de que o evangelho avançou irresistivelmente de uma região para outra, introduzindo-se poderosamente na sociedade do século I, salvando indivíduos e formando comunidades de Cristo. Os primeiros crentes foram envolvidos inevitavelmente neste movimento dinâmico, inspirado pelo Espírito, e não puderam evitar a "evangelização", mesmo se tivessem desejado fazer isso. Se você levantasse a cabeça como um convertido a Cristo, quer fosse judeu, gentio temente a Deus ou pagão, estava em perigo de perdê-la. No mínimo, lhe pediriam que desse a razão de sua nova esperança (cf. 1 Pe 3.13-16).

Os novos discípulos em Tessalônica foram um destes casos. O evangelho chegara até eles não como palavras humanas, mas com poder e profunda convicção (1 Ts 1.5). Eles se tornaram imitadores de Paulo e do Senhor Jesus no sentido de que haviam recebido a mensagem da verdade com a alegria do Espírito Santo, apesar da perseguição. E não surpreendentemente esses novos convertidos se tornaram missionários sem unirem-se a uma agência missionária:

> Com efeito, vos tornastes imitadores nossos e do Senhor, tendo recebido a palavra, posto que em meio de muita tribulação, com

alegria do Espírito Santo, de sorte que vos tornastes o modelo para todos os crentes na Macedônia e na Acaia. Porque de vós repercutiu a palavra do Senhor não só na Macedônia e Acaia, mas também por toda parte se divulgou a vossa fé para com Deus, a tal ponto de não termos necessidade de acrescentar coisa alguma; pois eles mesmos, no tocante a nós, proclamam que repercussão teve o nosso ingresso no vosso meio, e como, deixando os ídolos, vos convertestes a Deus, para servirdes o Deus vivo e verdadeiro e para aguardardes dos céus o seu Filho, a quem ele ressuscitou dentre os mortos, Jesus, que nos livra da ira vindoura (1 Ts 1.6-10).

O evangelho transformara de tal maneira a cosmovisão deles, e o Espírito Santo os vivificara de tal modo, que a Palavra do Senhor "repercutiu" desde a cidade local até lugares distantes. A palavra grega usada nesta passagem (ἐξήχηται) expressa a figura de que a Palavra de Deus estava retinindo a partir deles como o som de um sino. Não podiam guardar a mensagem para si, embora seus relacionamentos sociais fossem muito difíceis. Em todos os lugares por onde Paulo passava, ouvia a notícia de como os tessalonicenses haviam recebido o evangelho e se convertido ao Deus vivo e verdadeiro.

Alguns comentadores não conseguem encarar o fato de que esses novos cristãos teriam se envolvido em atividade missionária e, por isso, afirmam que foi a notícia de sua conversão que se propagou por todos os lugares. Mas não é isso que o texto diz – foi a própria palavra do Senhor que repercutiu a partir deles. De qualquer maneira, essa é uma distinção falsa. Como poderia a notícia ter se repercutido sem que o conteúdo do evangelho fosse também comunicado?

Meu argumento é que era inevitável e natural que esses novos convertidos, cuja vida social e religiosa fora mudada completamente, falassem aos outros a mensagem sobre o evangelho que os havia transformado. Não era necessário que tivessem sido *ensinados* a evangelizar. Como poderiam ter evitado explicar o que acontecera com eles, no mercado ou em um jantar?

E isso nos traz a uma passagem central sobre este assunto:

> Portanto, quer comais, quer bebais ou façais outra coisa qualquer, fazei tudo para a glória de Deus. Não vos torneis causa de tropeço nem para judeus, nem para gentios, nem tampouco para a igreja de Deus, assim como também eu procuro, em tudo, ser agradável a todos, não buscando o meu próprio interesse, mas o de muitos, para que sejam salvos.
> Sede meus imitadores, como também eu sou de Cristo (1 Co 10.31-11.1).

Tornar-se um cristão no primeiro século suscitou o dilema social de em quais festas o cristão deveria participar e o que comer quando estivesse ali. Diferentemente de nossas sociedades ocidentais modernas (porém como outras culturas no mundo de hoje), jantar e práticas religiosas estavam integralmente relacionados. Então, o que os novos cristãos deveriam fazer quanto a comerem "coisas sacrificadas a ídolos" (1 Co 8.1)? O "irmão fraco" achava que isso era pecaminoso (vv. 7-8). Paulo sabia que era livre para comer carne sacrificada a ídolos porque há um só Deus e um só Senhor, mas não exercia sua liberdade, se isto fosse uma pedra de tropeço para outros (8.4-13).

O exercício de nossa liberdade cristã é o grande tema destes capítulos. Paulo sabia que era "livre de todos", mas se fez intencionalmente escravo de todos – judeus, gentios ou crentes "fracos" (1 Co 9.19-23). E por que ele restringiu sua liberdade e abriu mão de seus direitos? Seu alvo era "ganhar o maior número possível" (v. 19) e "salvar alguns", "por causa do evangelho" (v. 23). O alvo da flexibilidade social de Paulo era a salvação de outros.

Todo cristão é um trabalhador de videira?

É impressionante o fato de que Paulo tenha exortado os crentes de Corinto a serem imitadores seus, como ele era de Cristo. E este imitar não era algo que deveria ser feito em algum sentido geral, mas *em buscar ativamente a salvação de outros*. Eles não deveriam buscar seu próprio interesse, "mas o de muitos, para que sejam salvos" (10.33). Em decisões sobre comer e beber, assim como em todas as questões, o alvo é a glória de Deus (v. 31). Não deveria ser causa de que alguém tropeçasse na fé, quer fosse judeu, gentio ou um irmão (fraco) na igreja de Deus (v. 32). Embora as responsabilidades e atividades missionárias dos coríntios fossem diferentes das de Paulo, a orientação de sua vida deveria ser a mesma. O seu alvo deveria ser a glória de Deus na salvação de outros.

O cristão que não tem um coração missionário é uma anomalia. O coração missionário será visto em todas as maneiras: em orações pelos perdidos, em assegurar-nos de que nosso comportamento não ofenda alguém, em conversas sobre o evangelho com amigos (em jantares!) e em fazermos todo esforço possível para salvar alguns. Somos escravos sem direitos, embora sejamos livres (cf. 2 Co 4.5; Fp 2.7).

Há outras passagens importantes que retratam o coração missionário e a atividade de discípulos comuns.

Os discípulos são chamados a um estilo de vida distinto, de "sal", caracterizado por boas obras e justiça. Por vivermos desta maneira, brilhamos como luzes no mundo, atraindo louvor não para nós mesmos, mas para Deus, nosso Pai (Mt 5.13-17). Somos chamados a orar em favor da proclamação ousada do evangelho no mundo (Cl 4.2-3). Nossa conversa com os não cristãos deve ser graciosa mas provocativa, dando respostas apropriadas às perguntas que são desencadeadas pela nossa maneira de viver (Cl 4.5-6). A sã doutrina do evangelho produz uma maneira de viver cristã radical que não dá motivos para zombaria e torna o ensino do evangelho atraente ao mundo (Tt 2.1-10). Como Israel, o povo eleito de Deus, os cristãos tanto coletiva quanto individualmente devem tornar Deus conhecido às nações, por declararem as misericórdias de Deus no evangelho e viverem vida santa (1 Pe 2.9-12; 3.1-2). Até em meio à perseguição, os crentes devem se render ao senhorio de Cristo e apresentar uma defesa da esperança que temos no evangelho (1 Pe 3.15).

Temos de concluir que um cristão que não tem amor pelos perdidos está em necessidade séria de autoexame e arrependimento. Até os ateístas têm mostrado isso. Penn Jillette é um ateísta confesso e um dos membros da famosa dupla de comediantes e ilusionistas Penn e Teller. Ele foi evangelizado por um homem educado e respeitável e disse isto sobre a experiência:

> "Tenho dito sempre que não respeito pessoas que não fazem proselitismo. Não respeito tais pessoas, de modo algum. Se você crê que há um céu e um inferno, que as pessoas podem estar indo para o inferno ou que não estão recebendo a vida eterna ou o que quer que seja, e você acha que não vale a pena dizer-lhes isto porque fazê-lo seria socialmente esquisito... Quanto você deve odiar alguém que não faz proselitismo? Quanto você deve odiar alguém que crê que a vida eterna é possível e não diz isso aos outros? Ou seja, se eu creio sem dúvida alguma que um caminhão está vindo em direção a você, mas você não acredita nisso, e o caminhão está avançando rapidamente em sua direção, há certo ponto em que puxo você. E isto é mais importante do que a sua descrença..."[2]

SEMPRE, COMO E PARA QUEM

O Novo Testamento presume que todo discípulo cristão será um comunicador piedoso da Palavra de Deus, em inúmeros contextos e maneiras diferentes.

---
2 http://youtube.com/watch?v=fa9JE_ZVL88.

Em cada contexto, a mensagem é essencialmente a mesma. Não acontece que eu chego a conhecer a Cristo por meio da mensagem do evangelho e uso uma mensagem fundamentalmente diferente para encorajar cada outro cristão. A "Palavra de Deus", a mensagem que ele revelou por meio de Cristo, pelo seu Espírito – isto é o que nos converte e, também, o que nos faz crescer, produzindo o fruto de piedade. A videira cresce, tanto em número de folhas quanto em qualidade e maturidade, por meio da Palavra e do Espírito – quando a verdade de Deus é ouvida e o Espírito a torna eficaz no coração das pessoas.

Isto acontece em nossas reuniões, mas também acontece dia a dia, quando cristãos falam a verdade uns aos outros e exortam uns aos outros a permanecerem firmes (Ef 4.25; Hb 3.13). Acontece nos lares, quando pais criam seus filhos na disciplina e na instrução do Senhor (Ef 6.4). Acontece no mundo quando proclamamos as excelências de Cristo às nações (1 Pe 2.9), ou nos engajamos em conversas graciosas e agradáveis com os de fora (Cl 4.5-6), ou damos respostas cordiais e respeitosas sobre a esperança cristã (1 Pe 3.15-16).

Vamos fazer uma pausa e esclarecer o que isto significa na prática. Aqui estão dez maneiras pelas quais um crente pode "falar a verdade em amor" a outra pessoa, em nome de Cristo, e participar da grande obra de Deus no mundo:

- George é indagado por Pedro, seu colega de quarto, sobre o que ele fez no fim de semana e George responde que ouviu na igreja um sermão excelente que o ajudou a entender, pela primeira vez, o que estava verdadeiramente errado com o mundo. Quando Pedro lhe pede que desenvolva a resposta, George mostra por que o pecado e o julgamento de Deus explicam os problemas que existem em nosso mundo. George continua a orar em favor de Pedro, pedindo que tais oportunidades continuem surgindo e que o coração de Pedro seja amolecido para responder à mensagem do evangelho.

- O filho adolescente de Sara está tendo problemas concretos no ensino médio, e, quando conversam à noite, ela lhe assegura que Deus é mais forte e mais fiel do qualquer amigo e ora com seu filho.
- William está conversando com George após o culto e lhe diz como foi encorajado por um versículo específico da Bíblia naquele dia.
- Miguel se encontra a cada quinze dias, durante o café da manhã, com seu colega Estevão, que é um novo cristão. Eles usam um guia de estudos bíblicos para novos convertidos, a fim de considerarem as questões básicas a respeito de como viver a vida cristã.
- Alison está preocupada com sua amiga Débora, que luta com ansiedade e tem faltado à igreja. Alison escreve uma carta para sua amiga, oferecendo encorajamento, citando alguns versículos bíblicos e se oferecendo para orarem juntas.
- Wagner frequenta um grupo de estudo bíblico, toda semana, na casa de Tiago, com seis outras pessoas. Ele se assegura de haver lido e meditado a passagem antes de ir ao estudo bíblico e pede a Deus que o ajude a dizer coisas verdadeiras e encorajadoras para o grupo.
- Irene é um pouco idosa e acha difícil sair, mas telefona para sua amiga Jeane toda segunda-feira, fala com ela sobre a passagem bíblica que leu naquela manhã e ora com ela ao telefone.
- Clara tem orado durante meses por sua amiga Shirley e, finalmente, convida-a para uma reunião evangelística que sua igreja está realizando. Enquanto voltam de carro para casa, Clara fala com Shirley sobre a mensagem e faz o seu melhor para responder as perguntas de Shirley.
- Na igreja de Felipe, eles separam alguns poucos minutos do culto de domingo para que um membro dê um testemunho ou apresente uma palavra de encorajamento para a congregação. Neste domingo, é a vez de Felipe, que conta como o ensino de Efésios 5 transformou seu casamento.

Os nomes e os detalhes foram levemente mudados, mas estes são exemplos reais de cristãos falando diligentemente a verdade de Deus a outras pessoas. Pode acontecer no lar, no trabalho, em conversa com um vizinho, em pequenos grupos, numa cafeteria – em qualquer lugar. Mas é vital que aconteça, porque isto é a "obra do Senhor"; isto é a Grande Comissão em ação; isto é a obra de videira na qual todos os cristãos podem e devem se envolver.

Para aqueles que gostam de pensar mais sistematicamente, eis outra maneira de examinarmos as diferentes formas pelas quais cristãos podem se envolver em falar a Palavra de Deus aos outros. Nós todos existimos em três esferas ou contextos de vida: nossa família ou vida no lar, nossa interação com amigos, colegas, vizinhos e comunidade, e comunhão com o povo de Deus em nossas congregações. Como podemos falar a verdade de Deus em cada um destes contextos?

	Lar	Congregação	Comunidade
Um a um	Ler a Bíblia e orar com os filhos. Ler a Bíblia e orar com o cônjuge. Escrever cartas aos parentes. Fazer com que a Bíblia influencie as conversas diárias.	Acompanhar um novo crente (estudo bíblico básico, etc.). Ler a Bíblia e orar com outra pessoa. O "ministério do auditório".[3] Acompanhar visitantes e novos frequentadores à igreja.	Convidar pessoas para eventos evangelísticos. Distribuir livros, folhetos e sermões. Dar seu testemunho pessoal. Evangelização na rua. Evangelização por amizade. Conversas informais (para responder perguntas comuns).
Grupos pequenos	Leitura bíblica e oração em família.	Reunir-se com um grupo pequeno para oração e estudo da Bíblia. Ensinar na Escola Dominical ou ao grupo de jovens. Grupos de homens ou de mulheres.	Evangelização baseada em grupos pequenos (cursos, etc.). Ensinar a Escritura em aulas nas escolas.
Grupos maiores	Inserir conteúdos cristãos em aniversários (e.g., compartilhar um versículo bíblico e orar).	Pregar ocasionalmente. Dar um testemunho e/ou encorajamento. Liderar os cânticos. Ler a Bíblia.	Fazer uma palestra evangelística ou dar testemunho (e.g., num café da manhã de homens).

---

3   O "ministério do auditório" se refere ao ministério que todo cristão pode ter cada domingo na igreja. Quanto a mais detalhes, ver Collin Marshall, "The ministry of the pew", The Briefing, vol. 131, 21 March 1994: http://matthiasmedia.com.au/briefing/library/1855.

Se você quer outra maneira de expressar o mesmo ponto, aquilo sobre o que estamos realmente falando é um *movimento de leitura da Bíblia* – em famílias, em igrejas, em vizinhanças, em locais de trabalho, em todos os lugares. Imagine se todos os cristãos, como parte normal de seu discipulado, fossem envolvidos numa rede de leitura bíblica regular – não somente aprofundando-se na Palavra em particular, mas lendo-a com seus filhos antes de dormirem, com seu cônjuge durante o café da manhã, com um colega de trabalho não cristão, uma vez por semana, durante o almoço, com um novo cristão, a fim de acompanhá-lo, uma vez a cada quinze dias, para encorajamento mútuo.

Seria uma rede incrível de relacionamentos pessoais, oração e leitura da Bíblia – mais um movimento do que um programa – mas, em outro nível, seria profundamente simples e ao alcance de todos.

É um pensamento estimulante! Mas dificilmente é uma ideia controversa e ofensiva. A maioria dos pastores apreciaria ver sua congregação envolvida neste tipo de ministério bíblico diário. Quem poderia argumentar contra isto?

No entanto, se pararmos para refletir nas implicações desta visão de obra de videira realizada por todo cristão, questionaremos muitas de nossas suposições mais queridas sobre a igreja, o ministério, a evangelização e a vida congregacional.

Em primeiro lugar, ela destrói radicalmente muitas das distinções tradicionais entre "clero" e "leigo". Muitos de nós ministramos em contextos nos quais a suposição não declarada (ou mesmo declarada!) é a de que o trabalho do pastor consiste em edificar a igreja, e o trabalho dos membros é receber esse ministério e apoiá-lo por meio de envolvimento em funções e papéis diversos – cuidar do dinheiro, organizar cafés da manhã, fazer serviço de recepção, servir nas comissões e assim por diante. O pastor (ou a equipe pastoral) é realmente quem faz a obra de videira, enquanto nós fazemos o que podemos para manter a treliça, inclusive contribuir financeiramente.

Todo cristão é um trabalhador de videira?

A visão de ministério do Novo Testamento é muito diferente. Os pastores e presbíteros assumem certamente a liderança na obra de videira (em oração e proclamação) e são responsáveis por guardar e ensinar a Palavra, bem como por manter o padrão da sã doutrina. Mas um dos efeitos desta obra é equipar e liberar os membros da igreja para fazerem eles mesmos a obra de videira. Vemos isto em Efésios, onde toda a congregação foi exortada a falar "a verdade em amor", como resultado do ministério de pastores-mestres. Também achamos uma sugestão interessante na carta de Paulo a Tito, na qual os presbíteros deveriam apegar-se "à palavra fiel, que é segundo a doutrina", de modo que tivessem poder para exortar pelo ensino correto e convencer os que o contradiziam (Tt 1.9). Um dos efeitos do ensino desta sã doutrina é que a congregação saberá como encorajar e treinar uns aos outros – como as mulheres mais velhas mencionadas em Tito 2, que deveriam ser "mestras do bem, a fim de instruírem as jovens recém-casadas a amarem ao marido e a seus filhos" (vv. 3-4).

Em outras palavras, estamos todos engajados na "obra do Senhor" (1 Co 15.58). Todos nós fazemos a nossa parte em ajudar a videira a crescer, por meio de falarmos diligentemente a Palavra, sempre e como pudermos. Lutero expressou isso com argúcia típica, nestes termos:

> O ministério da Palavra pertence a todos. Ligar e desligar é claramente nada mais do que proclamar e aplicar o evangelho. Pois, o que é desligar, senão anunciar o perdão dos pecados diante de Deus? O que é ligar, senão retirar o evangelho e declarar a retenção dos pecados? Quer eles [ou seja, a Igreja Católica Romana] queiram quer não, devem admitir que as chaves são o exercício do ministério da Palavra e pertencem a todos os cristãos.[4]

---

4 Martin Luther, "Concerning the Ministry", em *Luther's Works*, vol. 40, *Church and Ministry II*, ed. Conrad Bergendoff e Helmut T. Lehmann (Philadelphia: Muhlenberg Press, 1958), p. 27. A menção às "chaves" e, de fato, toda a citação, é uma referência a Mateus 16.19: "Dar-te-ei as chaves do reino dos céus; o que ligares na terra terá sido ligado nos céus; e o que desligares na terra terá sido desligado nos céus".

Isto parece extremo demais? Ou parece uma exigência muito árdua a ser imposta a cristãos sofredores que você conhece? Ou algo muito difícil para que pessoas se deixem persuadir a respeito?

Precisamos pensar melhor sobre a natureza da vida cristã normal.

Capítulo 5

CULPA OU GRAÇA

Temos argumentado que todos os cristãos são trabalhadores da videira; que todos estão engajados na "obra do Senhor". Nos capítulos seguintes, exploraremos como pastores e líderes desempenham um papel crucial em treinar e incentivar seu povo como cooperadores nesta obra. Todavia, antes de chegarmos lá, vale a pena pararmos e discutirmos um conjunto de objeções comuns.

É realmente verdadeiro, nos perguntam frequentemente, que a vida cristã normal inclui fazer discípulos? E quanto àqueles que labutam para se manterem firmes na fé em Cristo? Por que devemos fazê-los sentirem-se piores pelo fato de não estarem compartilhando o evangelho, ou encorajando outros na fé, ou não estão sendo treinados para ministrar? Não estamos apenas fazendo o cristão comum se sentir culpado? Ou pior, não estamos em risco de criar um novo tipo de legalismo, no qual estar "envolvido em fazer discípulos" se torna o padrão que temos de satisfazer para ganhar a aprovação de nosso pastor (se não de Deus)? Não acabamos criando duas classes de cristãos: os "entusiastas" e o resto?

Estas são perguntas importantes e legítimas, e, em seu âmago, há uma questão sobre a vida cristã normal. E a melhor fonte para responder isto é a extraordinária carta de Paulo aos filipenses, escrita da prisão.

PARCEIROS NO EVANGELHO DA GRAÇA

Paulo escreveu sua carta aos cristãos de Filipos enquanto desfrutava da "hospitalidade" das autoridades romanas. Por ter ousado pregar a Cristo como o verdadeiro rei e não César, Paulo estava na prisão, talvez em Roma, e se deparava com a perspectiva real de execução (1.13-14, 21).

Como você reagiria se o seu pastor estivesse aprisionado por pregar a Cristo como o único Deus verdadeiro? Talvez você o rejeitaria por causa de embaraço, vergonha ou por temer o que poderia perder? Se alguém o confrontasse, você diria: "Não, eu não o conheço muito bem. Fui à sua igreja poucas vezes. Sempre pensei que ele era extremista".

Ou talvez, noutra possibilidade, você encontraria forças para se manter firme em solidariedade com ele – por enviar-lhe donativos, orar em seu favor, aceitar a perseguição das autoridades e continuar pregando, desafiadoramente, a mesma mensagem de Cristo. Talvez você diria: "Sim, meu pastor está na prisão por pregar a Cristo. E as autoridades podem vir e me prender também, se quiserem, porque não pararei de confessar a verdade – que Jesus Cristo é o Senhor de todos".

O que você faria?

A carta de Paulo começa com uma oração de grande alegria pelo fato de que os filipenses se mantiveram em solidariedade com ele no evangelho, "desde o primeiro dia até agora". Os filipenses não ignoraram ou abandonaram seu apóstolo aprisionado; permaneceram com ele. E a palavra que Paulo usou em toda a carta para descrever esta solidariedade é "parceria". No grego é *"koinonia"*, a palavra que frequentemente traduzimos por "comunhão".

A comunhão que os crentes de Filipos tiveram com Paulo não foi uma xícara de chá após o culto ou uma noite agradável de estudo bíblico. Os filipenses e Paulo eram, juntos, participantes da *graça de Deus* por meio de Jesus Cristo (1.7). À semelhança de Paulo, os filipenses estavam aguardando o dia de Cristo, quando, por meio de sua morte e ressurreição, eles seriam considerados puros e inculpáveis, cheios do fruto de justiça (1.9-11; 3.8-10). Deus mesmo começara uma boa obra neles e a levaria até ao fim (1.6).

A parceria que eles compartilhavam no evangelho não era uma forma de garantir uma posição correta diante de Deus. Se alguém poderia ter razão para se orgulhar diante de Deus e se declarar justo, esse alguém era Paulo – aquele "hebreu de hebreus" (3.5). Mas o evangelho que ele pregava tornava patéticos e fúteis todos os homens que buscavam justiça própria:

> Mas o que, para mim, era lucro, isto considerei perda por causa de Cristo. Sim, deveras considero tudo como perda, por causa da sublimidade do conhecimento de Cristo Jesus, meu Senhor; por amor do qual perdi todas as coisas e as considero como refugo, para ganhar a Cristo e ser achado nele, não tendo justiça própria, que procede de lei, senão a que é mediante a fé em Cristo, a justiça que procede de Deus, baseada na fé (3.7-9).

Este foi o evangelho que os filipenses ouviram e, pela graça de Deus, creram. Era o evangelho que falava sobre um Cristo sofredor que morreu e ressuscitou para trazer justiça e salvação para seu povo. Aceitar este evangelho significava estar disposto a sofrer como o próprio Cristo. De fato, Paulo fez declarações ainda mais fortes do que essas. Ele disse que permanecer ao lado do evangelho e ser chamado a sofrer por Cristo é, em si mesmo, um dom da graça de Deus:

> É justo que eu assim pense de todos vós, porque vos trago no coração, seja nas minhas algemas, seja na defesa e confirmação do evangelho, pois todos sois participantes da graça comigo (1.7).

> Porque vos foi concedida a graça de padecerdes por Cristo e não somente de crerdes nele (1.29).

Assim, Paulo instou os cristãos comuns residentes em Filipos a permanecerem firmes em sua parceria no evangelho; manterem uma postura resoluta por Cristo em face de hostilidade e perseguição. Viver desta maneira, disse Paulo, significa viver de uma maneira digna do próprio evangelho:

> Vivei, acima de tudo, por modo digno do evangelho de Cristo, para que, ou indo ver-vos ou estando ausente, ouça, no tocante a vós outros, que estais firmes em um só espírito, como uma só alma, lutando juntos pela fé evangélica; e que em nada estais intimidados pelos adversários. Pois o que é para eles prova evidente de perdição é, para vós outros, de salvação, e isto da parte de Deus. Porque vos foi concedida a graça de padecerdes por Cristo e não somente de crerdes nele, pois tendes o mesmo combate que vistes em mim e, ainda agora, ouvis que é o meu (1.27-30).

A palavra grega traduzida por "vivei", no versículo 27, significa "viver como um cidadão". A forma nominal desta palavra é usada em 3.20: "Pois a nossa *pátria* está nos céus, de onde também aguardamos o Salvador, o Senhor Jesus Cristo".

Os filipenses sabiam muito bem que eram uma colônia romana, com todos os privilégios e direitos de serem cidadãos plenos do império. Todavia, Paulo os lembrou: vosso rei não é César, e Roma não é a vossa pátria. O vosso rei é Jesus Cristo, e o céu é a vossa pátria. Vivei, portanto, de uma maneira digna *dessa* pátria. Permanecei lado a lado como um exército unido que luta por *esse* Rei, para sua honra e glória.

Os crentes comuns em Filipos não eram cidadãos de segunda classe ou uma tropa de apoio que dava cobertura às linhas de frente. Eles deviam unir os braços e lutar juntos "pela fé evangélica", não sendo surpreendidos pelo conflito e pela luta que viriam, nem amedrontados por seus oponentes. E, ao fazerem isso, estavam engajados no *mesmo conflito e luta* que Paulo experimentara e ainda estava experimentando. Eles eram parceiros no sofrimento, parceiros na "defesa e confirmação do evangelho", parceiros de Paulo e uns dos outros.

Esta é a razão por que unidade é tão importante na congregação e por que reclamar, murmurar e discordar é totalmente inapropriado. A maravilhosa passagem sobre a humildade de Cristo, centrada em outros e mencionada no capítulo 2, era, no contexto, uma chamada a que os filipenses se despissem de motivos egoístas e rivalidades tolas para lutarem juntos pela causa do evangelho, brilhando como faróis na sociedade corrupta que os rodeava:

> Fazei tudo sem murmurações nem contendas, para que vos torneis irrepreensíveis e sinceros, filhos de Deus inculpáveis no meio de uma geração pervertida e corrupta, na qual resplandeceis como luzeiros no mundo, preservando a palavra da vida, para que, no Dia de Cristo, eu me glorie de que não corri em vão, nem me esforcei inutilmente (2.14-16).

Eruditos têm discutido se deveria ser "preservando" ou "estendendo" no versículo 16 – implicando que "estendendo" sugeriria uma ênfase evangelística, para fora, enquanto "preservando" se referia mais à perseverança deles mesmos na fé. Para eles, "preservar" o evangelho no agir como parceiros de Paulo significava, inevitavelmente, unirem-se com ele na luta pelo evangelho e aceitarem o sofrimento resultante. Significava manterem-se ao lado de seu apóstolo aprisionado e falarem em favor da "defesa e confirmação do evangelho".

Paulo mencionou Timóteo e Epafrodito como dois exemplos notáveis que os filipenses deveriam imitar. Timóteo era incomparável em seu interesse pelos outros e não por si mesmo (2.20-21). Colocava os interesses de Cristo em primeiro lugar e servia ao lado de Paulo como um filho serve nos negócios da família. Epafrodito era um filipense a quem Paulo chamou "meu irmão, cooperador e companheiro de lutas; e, por outro, vosso mensageiro e vosso auxiliar nas minhas necessidades; visto que ele tinha saudade de todos vós e estava angustiado porque ouvistes que adoeceu" (2.25-26).

Você entendeu isso? Epafrodito ficou angustiado não porque estava doente, mas porque os crentes de Filipos tinham ouvido que ele adoecera. Quantos de nós podemos dizer isso a respeito de nossa atitude quando ficamos doentes?

PARCERIA CRISTÃ NORMAL

De acordo com Paulo, a parceria no evangelho é a vida cristã normal. Significa permanecermos unidos no evangelho, determinados a viver como cidadãos do céu no meio de nossa geração corrupta, anelando e labutando para vermos o evangelho sendo defendido e proclamado e enfrentando bravamente o conflito, a luta e a perseguição que seguem inevitavelmente.

A manifestação prática desta parceria tem alcance amplo. Vemos os filipenses orando em favor de Paulo (1.19); nós os vemos compartilhando das dificuldades de Paulo ao lhe enviarem ajuda financeira (4.14-19);

vemos filipenses como Epafrodito, Evódia, Síntique e Clemente entre o grupo de cooperadores de Paulo; e vemos os filipenses sendo chamados a serem imitadores de Paulo na luta pelo evangelho, apesar de hostilidade de fora e oposição de dentro (3.17-4.1).

O próprio evangelho exige que fiquemos com nossos líderes e pregadores em profunda unidade, cooperação e solidariedade – não por causa dos seus dons e de sua personalidade, mas por causa de nossa parceria comum no evangelho de Jesus Cristo. Não há duas classes de cristãos – os cooperadores e os espectadores. Estamos todos juntos no evangelho.

Uma igreja na qual estivemos envolvidos tentou expressar isto por não ter "membresia" na congregação, e sim "parceria". Em nossa sociedade, quando você se une como membro de algo, isso pode ter conotações de passividade e consumismo. Eu me associo a um clube e espero certos benefícios. A linguagem de "parceria", por outro lado, transmite imediatamente a ideia de que estamos assinando um compromisso de envolvimento ativo – sermos parceiros em um grande empreendimento: a missão do evangelho de Cristo.

Na Filipos do século I, não havia dúvidas quanto ao que isto envolvia – uma disposição de ligar-se publicamente a uma "seita" nova e questionada cujos líderes estavam sendo lançados na prisão; uma determinação de permanecer junto com os irmãos, não importando o que acontecesse, e de lutar pelo evangelho; e um compromisso abnegado com irmãos e irmãs em Cristo.

Nada disso era um programa de boas obras que visava levá-los ao céu. De fato, os legalistas que queriam colocar sua confiança na carne eram os inimigos. Mas a imensurável e livre graça de Deus que os alcançara pela fé em Cristo não era uma licença para uma vida fácil e tranquila, com uma pitada de espiritualidade no lado; pelo contrário, era um passaporte para uma nova cidadania de sofrimento e combate, lado a lado, pelo evangelho.

Paulo era o líder deles, um soldado fiel e exemplar nesta luta. E este é o padrão que também vemos em outras passagens do Novo Testamento. Líderes, pastores e presbíteros são responsáveis por ensinar, advertir, repreender e encorajar. São supervisores e organizadores, guardiães e mobilizadores, mestres e modelos. Proveem as condições sob as quais os demais parceiros no evangelho podem também realizar a obra de videira – falando dedicadamente a verdade de Deus aos outros.

No entanto, em um nível profundo, todos os pastores e presbíteros são também parceiros. Não têm um *status* ou essência diferente, nem uma tarefa fundamentalmente diferente – como se fossem os verdadeiros "atores" e o resto da congregação fossem espectadores e equipe de apoio. Um pastor ou presbítero é um trabalhador da videira que recebeu uma responsabilidade específica de pastorear e equipar os crentes para sua cooperação no evangelho.

E isso nos leva inevitavelmente a "treinamento".

Capítulo 6

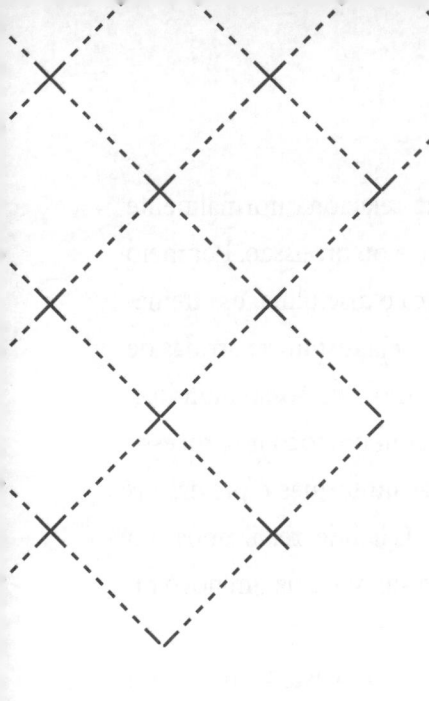

O ÂMAGO DO TREINAMENTO

Os leitores deste livro podem se enquadrar em duas categorias. Há alguns que entendem a palavra "treinamento" como um jargão de ministério. Supõem que sabem o que ela significa e, de acordo com isso, se opõem à ideia ou estão cansados de ouvir sobre ela.

Há outros para os quais "treinamento" é algo que se faz no ginásio ou numa faculdade ou seminário teológico, mas nunca consideraram o que "treinamento" realmente é em conexão com a vida e o ministério cristão.

O QUE É TREINAR?

Uma dificuldade preliminar ao discutirmos "treinamento" (e muitos outros assuntos) é que a palavra tem conotações que nem sempre correspondem com a palavra usada na Bíblia.

Na linguagem moderna, "treinamento" se relaciona normalmente com tornar-se proficiente em alguma prática, arte ou profissão. Por meio de uma mistura de instrução, observação, prática e disciplina, os "treinados" aprendem como fazer bem alguma coisa – seja disputar corridas de obstáculos ou tornar-se um soldado. "Treinamento" em nosso mundo é, geralmente, orientado na realização de tarefas, com um foco no processo pelo qual as coisas são feitas. Enfatiza respostas uniformes e previsíveis que são aprendidas e reforçadas pela prática. Quando realizamos um "treinamento especializado", esperamos que o resultado seja um novo nível de proficiência em algum aspecto de nossa função.

Treinamento ministerial pode ser semelhante a isto – provendo conhecimento e habilidades para que os cristãos aprendam como fazer certas coisas. De acordo com isso, muitas igrejas realizam "cursos de treinamento" para ajudar as pessoas a se tornarem mais proficientes em ler sua Bíblia, ou em compartilhar sua fé com os outros, ou em receber bem novos frequentadores, ou em liderar pequenos grupos e assim por diante.

Isto é bom e proveitoso, mas não é a essência de "treinamento" – pelo menos, não da maneira como a Bíblia pensa sobre treinamento. No Novo Testamento, treinamento é muito mais a respeito do pensar e do viver cristão do que a respeito de habilidades e competências específicas. Vemos isto nas epístolas pastorais, nas palavras que expressam a ideia de "treinamento" em nossa Bíblia.

Transmitindo doutrina e vida
Em 1 Timóteo 4.7, achamos esta instrução da parte de Paulo: "Mas rejeita as fábulas profanas e de velhas caducas. Exercita-te, pessoalmente, na piedade". A palavra grega aqui é *gymnaze*, uma palavra usada originalmente em conexão com os jogos e combates atléticos. Como um ministro cristão, Timóteo deveria aplicar esta metáfora de treinamento atlético à sua vida e a seu caráter, para que ele e seus ouvintes progredissem rumo

à maturidade e à santidade. Em Hebreus, achamos esta mesma palavra grega usada de maneira semelhante: "O alimento sólido é para os adultos, para aqueles que, pela prática, têm as suas faculdades exercitadas para discernir não somente o bem, mas também o mal" (5.14). Por contraste, os falsos mestres têm seu coração "exercitado na avareza" (2 Pe 2.14). O foco aqui é o ensino e o exemplo, que levam a um caráter específico e não a uma competência ou habilidade específica.

Em 2 Timóteo 3.16, a palavra grega *paideia* é também traduzida com a ideia de treinamento por ensino: "Toda a Escritura é inspirada por Deus e útil para o ensino, para a repreensão, para a correção, para a *educação na justiça*". Esta é a palavra normal usada para expressar a ideia de instrução ou ensino que tenciona formar padrões corretos de comportamento (neste caso, justiça). É o mesmo tipo de treinamento que um pai exerce sobre um filho para moldar seu caráter – quer seja Deus, como nosso Pai, que nos disciplina para nosso bem (Hb 12.5, 7), quer seja nosso pai humano que busca treinar-nos nos caminhos do Senhor (Ef 6.4).

No versículo seguinte (2 Tm 3.17), o conceito de treinamento é desenvolvido. Por ser "educado" na justiça, o homem de Deus é tornado competente ou proficiente pelas Escrituras, que o equipam para toda boa obra. É o treinamento na justiça que leva à proficiência, mas a proficiência neste caso não é uma habilidade específica – como ser capaz de ensinar com clareza, ou liderar um grupo pequeno, ou qualquer outra habilidade – e sim uma qualidade de caráter e de comportamento baseados na sã doutrina das Escrituras.

A sã doutrina é vital. Nas epístolas pastorais, um bastão está sendo passado como numa corrida de revezamento – e o bastão é o próprio evangelho. Deus confiou o evangelho a Paulo (1 Tm 1.11-12), que, por sua vez, o passou a Timóteo (1 Tm 1.18-19; 6.11-14, 20-21). Paulo queria que Timóteo fizesse o mesmo: confiasse o que lhe fora entregue a homens fiéis que também seriam capazes de ensinar a outros (2 Tm 2.2).

O âmago do treinamento não é transmitir uma capacidade, e sim transmitir sã doutrina. Bom treinamento bíblico resulta em vida piedosa baseada em sã doutrina que produz maturidade.

Relacionamento e imitação
No entanto, esta transferência do "bom depósito" do evangelho não é um exercício educacional infrutífero. É profunda e inescapavelmente racional. Quando examinamos o relacionamento entre Paulo e Timóteo, fica logo evidente que no treinamento de Timóteo estava envolvido muito mais do que uma transferência de habilidades ou de informação. Paulo descreveu Timóteo, várias vezes, com grande ternura, como seu filho amado (1 Co 4.17; Fp 2.22; 1 Tm 1.2, 18; 2 Tm 1.2) e como um irmão em Cristo que compartilhava da graça (1 Tm 1.2; 2 Tm 1.2; 2.1). É quase certo que Timóteo fora convertido pelo ministério de Paulo (At 14.6-23; 16.1-3) e se tornara um cooperador altamente valioso no ministério do evangelho ("a ninguém tenho de igual sentimento" – Fp 2.20), em quem Paulo confiava para enviar como seu emissário às igrejas (Fp 2.19-20; 1 Ts 3.1-5).

Este relacionamento íntimo foi um instrumento para um dos elementos cruciais no treinamento de Paulo dado a Timóteo – imitação. "Tu, porém, tens seguido, de perto, o meu ensino, procedimento, propósito, fé, longanimidade, amor, perseverança, as minhas perseguições e os meus sofrimentos, quais me aconteceram em Antioquia, Icônio e Listra, — que variadas perseguições tenho suportado! De todas, entretanto, me livrou o Senhor" (2 Tm 3.10-11).

Foi não somente o bom depósito do evangelho que Paulo passou a Timóteo, e sim uma maneira de viver. E Timóteo deveria, por sua vez, ser modelo desta *maneira de viver* evangélica para os outros: "Ninguém despreze a tua mocidade; pelo contrário, torna-te padrão dos fiéis, na palavra, no procedimento, no amor, na fé, na pureza" (1 Tm 4.12). Paulo exortou um de seus outros pupilos, Tito, em termos semelhantes: "Torna-te, pessoalmente, padrão de boas obras. No ensino, mostra integridade, reverência, linguagem sadia e irrepreensível, para que o adversário seja envergonhado, não tendo indignidade nenhuma que dizer a nosso respeito" (Tt 2.7-8). Observe que o ensino e o comportamento exemplares de Tito se refletiam também em Paulo ("indignidade nenhuma que dizer a *nosso* respeito"), porque Tito estava ensinando e se comportando em imitação de Paulo.

Esta metodologia de ser modelo, exemplo e imitação era elementar em todo o ministério de Paulo.

> Irmãos, sede imitadores meus e observai os que andam segundo o modelo que tendes em nós (Fp 3.17).

> Não vos escrevo estas coisas para vos envergonhar; pelo contrário, para vos admoestar como a filhos meus amados. Porque, ainda que tivésseis milhares de preceptores em Cristo, não teríeis, contudo, muitos pais; pois eu, pelo evangelho, vos gerei em Cristo Jesus. Admoesto-vos, portanto, a que sejais meus imitadores. Por esta causa, vos mandei Timóteo, que é meu filho amado e fiel no Senhor, o qual vos lembrará os meus caminhos em Cristo Jesus, como, por toda parte, ensino em cada igreja (1 Co 4.14-17).

> Não vos torneis causa de tropeço nem para judeus, nem para gentios, nem tampouco para a igreja de Deus, assim como também eu procuro, em tudo, ser agradável a todos, não buscando o meu próprio interesse, mas o de muitos, para que sejam salvos. Sede meus imitadores, como também eu sou de Cristo (1 Co 10.32,33 - 11.1).

> Reconhecendo, irmãos, amados de Deus, a vossa eleição, porque o nosso evangelho não chegou até vós tão somente em palavra, mas,

sobretudo, em poder, no Espírito Santo e em plena convicção, assim como sabeis ter sido o nosso procedimento entre vós e por amor de vós. Com efeito, vos tornastes imitadores nossos e do Senhor, tendo recebido a palavra, posto que em meio de muita tribulação, com alegria do Espírito Santo, de sorte que vos tornastes o modelo para todos os crentes na Macedônia e na Acaia (1 Ts 1.4-7).

A cadeia de imitação se inicia em nosso Senhor, a quem Paulo copiava, passa por Timóteo (que toma como modelo o próprio Paulo e lembra aos outros os caminhos de Paulo) e chega até aos crentes, que se tornam "imitadores nossos e do Senhor".

Vale a pena enfatizarmos que Paulo queria que eles imitassem não apenas a sua doutrina, mas também a sua maneira de viver. Paulo nunca separou ética de doutrina, porque um entendimento correto do evangelho leva a uma vida mudada. Podemos nos esquivar disto com base numa humildade piedosa ou numa avaliação honesta da pobreza de nosso exemplo. Mas Paulo não mostrou nenhum embaraço quanto a si mesmo ou a seus cooperadores. Ele exortou Timóteo e os outros a se unirem a ele em dar o exemplo para os crentes e exortou os crentes a seguirem tal exemplo!

No entanto, devemos lembrar que tipo de exemplo Paulo estava dando em sua imitação de Jesus. Era a aceitação de hostilidade e rejeição social – uma adoção do caminho abnegado de sofrimento e maus tratos em benefício de outros. Como argumenta Edwin Judge, o tipo de imitação que Paulo exigiu era bem contracultural em seus dias. Não consistia de seguir regras éticas específicas ou tradições, e imitar o senhor espiritual de alguém, mas de renunciar a própria vida em benefício dos outros. Esta "chamada a sacrificar seus próprios interesses visando a um objetivo mais elevado era uma inversão surpreendente da vida ética como os gregos a haviam definido".[1]

---

1 E. A. Judge, "The Teacher as Moral Exemplar in Paul and in the Inscriptions of Ephesus", em D. Peterson e J. Pryor (eds.), *In the Fullness of Time: Biblical Studies in Honour of Archbishop Donald Robison* (Homebush West, NSW: Anzea, 1992), p. 199.

O âmago do treinamento

Paulo instou suas congregações a se unirem a ele no sofrer pela missão de Cristo, a buscar a salvação de outros por renunciarem seus próprios direitos. A ambição de Paulo por salvar outros deveria, também, ser a ambição deles.

Somos um exemplo para aqueles a quem ensinamos e treinamos, quer gostemos, quer não. Não podemos deixar de ser exemplo. Uma das principais tarefas dos pastores e presbíteros é moldar sua vida de modo que sirvam de exemplo piedoso para os outros – e isso é a razão por que a maior parte das exigências prescritas para os presbíteros em passagens com 1 Timóteo 3 e Tito 1 se relaciona com o caráter e o estilo de vida. O alvo não é que sejamos exemplos de perfeição – isso é impossível. Entretanto, Paulo disse a Timóteo: "Medita estas coisas e nelas sê diligente, para que o teu *progresso* a todos seja manifesto" (1 Tm 4.15). Devemos ser exemplo no *esforço* por santidade e não em manifestar santidade atingida com perfeição (Hb 12.14). De fato, no nível mais profundo, o exemplo que estabelecemos se evidencia em sermos modelos do caminho da cruz. Não estamos tentando criar clones ou culto de personalidade, mas seguir o exemplo de nosso Senhor em perseverarmos em face de tribulações e perseguição. Se o mestre sofre, o aluno também sofre.

O ponto importante aqui é que o treinamento é inescapavelmente relacional. Não pode ser feito em uma sala de aula por meio de suposta transferência de informação neutra. O treinador está exigindo que o treinado adote não somente seus ensinos, mas também a maneira de vida que resulta necessariamente de seu ensino. Portanto, aquele que treina deve fazer como Paulo instruiu a Timóteo:

> Tem cuidado de ti mesmo e da doutrina. Continua nestes deveres; porque, fazendo assim, salvarás tanto a ti mesmo como aos teus ouvintes (1 Tm 4.16).

Treinamento como paternidade

Poderíamos resumir o modelo paulino de treinamento ministerial por dizer que esse modelo se assemelha à paternidade:

- Começa com alguém sendo um instrumento para trazer outra pessoa ao novo nascimento.
- É amoroso e de longa duração.
- Inclui transmitir conhecimento, sabedoria e instrução prática.
- Envolve ser modelo e imitação.
- Forma não somente crenças e habilidades, mas também o caráter e o estilo de vida.

Esta é uma metáfora bastante útil que devemos conservar em mente enquanto pensamos em treinamento. Treinamento é paternidade. É uma pessoa amando tanto a outra que deseja vê-la crescer, progredir e estar preparada para engajar-se na obra fiel e de longa duração que (na misericórdia de Deus) verá isso acontecer.

A natureza relacional do treinamento significa que o melhor treinamento acontecerá frequentemente por osmose e não por instrução formal. Será assimilada tanto quanto ensinada. Os treinados acabarão se parecendo com seus treinadores, assim como os filhos acabam se tornando como seus pais.

Em relação ao treinamento, os corações tanto do treinador quanto do treinado são expostos. À medida que treinamos ministros da Palavra de Cristo, não medimos o progresso apenas pelo desempenho nas tarefas, mas também pela integridade do coração. Aquele que está sendo treinado ama genuinamente a Deus e ao próximo? Ele se submete à Palavra de Cristo? Palavras espontâneas e irrefletidas expõem o coração daquele que está sendo treinado – o bom, o mau e o feio. Na discussão entusiasta sobre a vida e o ministério, o relacionamento é aprofundado, e o treinador ganha discernimentos sobre o caráter do treinado.

Aqueles que são treinados precisam ver o coração de seu treinador – os pecados e confissões, os temores e a fé, as visões e as realidades, os sucessos e os fracassos. A vida e o ministério do treinador são um modelo para o treinado – não de perfeição, mas de desejos santos em um vaso de barro. Isto exige o compartilhamento honesto e franco de nossa vida.

Isso é visto com muita clareza no lar. No lar, o treinador não é mais o "cristão público", o líder de ministério. A posição desaparece. Ele se torna – na verdade, ele é – o marido que sorri com sua mulher, o pai que lida com a filha que não quer comer o alimento que está à mesa, o cozinheiro que se realiza em seu lado criativo, o faz-tudo que conserta a torneira, o homem fatigado que assiste inexpressivamente à televisão. Ele está vivenciando a vida no Espírito no contexto mais difícil. E, de modo semelhante, quando um treinador sábio está no lar do treinado, ele também está observando como o treinado ouve respeitosamente à sua mulher, ou ignora os filhos, ou espera ser servido, ou não pode relaxar. Tudo isto é relevante para reflexão e discussão posterior.

Havendo dito tudo isto, também é importante dizermos que o treinamento formal será um complemento inestimável e insubstituível do treinamento relacional. De fato, estamos cientes de que poucos treinadores podem julgar intuitivamente o que é necessário no desenvolvimento de cada treinado e cuidar que isso seja suprido, enquanto realiza o treinamento. O treinador intuitivo pode não precisar refletir muito sobre um currículo de treinamento formal, visto que o treinamento lhe ocorre naturalmente. Todavia, a maioria de nós não somos treinadores brilhantemente intuitivos. E mesmo aqueles que o são falham em ser abrangentes em seu treinamento. Eles não têm ideia do que já foi abordado no treinamento e do que ainda não foi.

Programas de treinamento formal não são incompatíveis com o treinamento relacional. Se o treinador está comprometido com uma abordagem relacional, programas de treinamento aprimoram mais do que prejudicam o treinamento pessoal. De fato, sessões ou programas de treinamento formal são outras oportunidades para o treinador ver o treinado em ação – relacionando-se com pessoas, participando, completando tarefas estabelecidas e assim por diante.

Tudo isso nos leva ao lugar das habilidades e de cursos no treinamento.

QUAL A IMPORTÂNCIA DE HABILIDADES, CURSOS E PROGRAMAS?

Talvez com a ênfase bíblica colocada no lugar certo – no treinamento da mente, do caráter e do coração pela Palavra de Deus – estejamos agora prontos para falar sobre habilidades ou competências no treinamento.

A Bíblia fala realmente sobre habilidades práticas. Todos os cristãos, por exemplo, devemos estar preparados "para responder a todo aquele que... pedir razão da esperança que há" em nós (1 Pe 3.15) e devemos considerar como "nos estimularmos ao amor e às boas obras" (Hb 10.24). É também essencial que alguém tenha a habilidade de ensinar – por exemplo, os bispos mencionados em 1 Timóteo 3.2, ou os presbíteros em Tito 1.5-9, ou os "homens fiéis" em 2 Timóteo 2.2. Somos também instruídos, em Romanos 12.8, de que alguns têm o dom de liderar (cf. aqueles que "governam" em 1 Timóteo 3.4).

Habilidades e competências não são irrelevantes. Na verdade, elas são necessárias para comunicar a mensagem do evangelho, pastorear o rebanho de Deus e liderar a igreja. Contudo, as habilidades nunca devem ser separadas do evangelho – da verdade da sã doutrina e do caráter piedoso que está em harmonia com ela. É muito fácil sermos norteados por "competências" – pensar que, se apenas tivéssemos as habilidades e técnicas corretas, então tudo se encaixaria em seu devido lugar e o crescimento seria garantido. É fácil nos focalizarmos em habilidades como um fim em si mesmas e colocarmos muita confiança nelas.

No entanto, se mantivermos o evangelho no lugar primordial e central, então aprender a fazer atividades específicas de modo mais eficiente pode ser uma parte piedosa de nosso servir a Cristo e a outras pessoas. Podemos anelar ser melhores professores, por exemplo, não motivados por autoglorificação ou por uma crença mística em nossa própria importância, mas porque queremos comunicar aos nossos ouvintes, de modo mais claro e convincente, a mensagem da Bíblia, que muda a vida. O mesmo é verdade quanto aos nossos planos para treinar outros em habilidades específicas.

A natureza do alvo de treinar pode ser resumida muito proveitosamente por três "Cs". Por meio de relacionamento pessoal, oração, ensino, ser exemplo e instrução prática, queremos ver pessoas crescendo em:

- **convicção** – o conhecimento de Deus e o entendimento da Bíblia.
- **caráter** – o caráter e a vida santos que se harmoniza com a sã doutrina.
- **competência** – a habilidade de falar a Palavra de Deus aos outros em maneiras diferentes.

Contando com uma perspectiva mais bíblica sobre a natureza de "treinar", estamos em melhor condição de usar a ampla variedade de cursos de treinamento e recursos que estão agora disponíveis. Se lembrarmos que o treinamento é inescapavelmente pessoal e relacional, que envolve ensinar sã doutrina e modelá-la no viver, num estilo de vida e na habilidade de servir aos outros, então, estruturas para treinamento podem ser realmente muito úteis – quer estejamos falando de treinamento formal, como o modelo de aprendizado desenvolvido pela Estratégia de Treinamento Ministerial (falaremos mais sobre isso no capítulo 11), quer estejamos falando de cursos de treinamento curtos produzidos pela Mathias Media, os publicadores originais deste livro.

Estes programas podem oferecer uma estrutura muito útil para treinamento, visto que as estruturas e recursos não são vistos como um substituto da obra real de treinar e ser modelo. Considere, por exemplo, um curso rápido como *Seis Passos para Encorajamento*, de Matthias Media, que lida com as coisas básicas do ministério pessoal – como um cristão pode encorajar o outro. É o tipo de coisa que um pequeno grupo de estudo bíblico nos lares poderia fazer proveitosamente como parte de suas atividades regulares ou que a igreja poderia adotar como um curso especial de treinamento durante seis segundas-feiras à noite.

Ora, a tentação é apenas a de "realizar o curso" – ou seja, levar pequenos grupos a fazê-lo, emitindo um convite geral para que pessoas interessadas se inscrevam no curso. E, ministrando o curso para um grupo ou grupos de pessoas, você pode se congratular por ter realizado um "treinamento". E não há dúvida de que utilizar este material será proveitoso para os envolvidos.

No entanto, para você fazer verdadeiro progresso em ajudar os crentes de sua igreja a se tornarem "encorajadores", eles precisam mais do que um curso de seis semanas. Precisam do exemplo prático para observarem como pode ser feito; e precisam de instrução, acompanhamento e oração pessoal que abordam as questões espirituais que estão no âmago do "tornar-se um encorajador". Isto exige tempo e atenção pessoal – antes, durante e depois da oportunidade de treinamento planejada.

Como isto pode acontecer na vida de um pastor ocupado e de sua congregação? Veremos isto nos capítulos seguintes, mas, primeiramente, estabeleceremos algumas outras bases.

Capítulo 7

TREINAMENTO E CRESCIMENTO DO EVANGELHO

A ideia bíblica de treinamento que já exploramos até aqui admite que o obra do evangelho é um "empreendimento crescente" – ou seja, quando o evangelho é pregado e o Espírito age, o que acontece é "crescimento". Vemos isso na calorosa saudação de Paulo aos cristãos de Colossos:

> Damos sempre graças a Deus, Pai de nosso Senhor Jesus Cristo, quando oramos por vós, desde que ouvimos da vossa fé em Cristo Jesus e do amor que tendes para com todos os santos; por causa da esperança que vos está preservada nos céus, da qual antes ouvistes pela palavra da verdade do evangelho, que chegou até vós; como também, em todo o mundo, está produzindo fruto e crescendo, tal acontece entre vós, desde o dia em que ouvistes e entendestes a graça de Deus na verdade (Cl 1.3-6).

O crescimento que Paulo tinha em mente nesta passagem tinha dois aspectos. Em um nível, o evangelho estava crescendo em todo o mundo, como uma videira cujos ramos continuam se estendendo por sobre a cerca e, passando a cerca, pelo quintal do vizinho. Até em Colossos, onde Paulo nunca estivera, o evangelho fora ensinado (pelo nobre Epafras) e se enraizara.

No entanto, o evangelho também estava crescendo em outro sentido – na vida das pessoas. Onde a "palavra da verdade" é ensinada e crida, ela produz fruto. Pessoas são mudadas. São transferidas de um reino para outro (como Paulo afirma depois, no versículo 13). Começam a ter fé em Cristo Jesus e amor por todos os santos e ansiar por sua herança celestial. Suas prioridades mudam, sua cosmovisão muda; e sua vida é refeita, pouco a pouco, na imagem do próprio Filho de Deus. Em sua oração, Paulo rogou a Deus que isso continuasse acontecendo na vida dos colossenses: "Por esta razão, também nós, desde o dia em que o ouvimos, não cessamos de orar por vós e de pedir que transbordeis de pleno conhecimento da sua vontade, em toda a sabedoria e entendimento espiritual; a fim de viverdes de modo digno do Senhor, para o seu inteiro agrado, frutificando em toda boa obra e crescendo no pleno conhecimento de Deus" (Cl 1.9-10).

Ora, talvez nada seja chocante ou revolucionário nestas ideias. O evangelho, por sua própria natureza, produz crescimento. Nós todos sabemos disso. Entretanto, há três implicações importantes desta ideia simples.

A *primeira* é que o crescimento do evangelho acontece na vida das pessoas, não nas estruturas da minha igreja. Ou, em termos de nossa metáfora inicial, o crescimento da treliça não é o crescimento da videira. Podemos multiplicar o número de programas, eventos, comissões e outras atividades em que a nossa igreja possa engajar-se; podemos ampliar e modernizar nossos prédios; podemos remodelar nossas reuniões regulares para que sejam atraentes e eficazes em se comunicar com a nossa cultura; podemos nos congratular com o fato de que os números estão aumentando. E todas estas coisas são coisas boas! Mas, se as *pessoas* não estão crescendo em seu conhecimento da vontade de Deus, para que andem cada vez mais dignamente do Senhor, buscando agradar-lhe em todas as coisas e produzindo fruto em toda boa obra, então nenhum crescimento está acontecendo.

Há muitas maneiras de conseguirmos mais pessoas para nossas igrejas. De fato, algumas das maiores igrejas no mundo são as menos fiéis ao evangelho e à Bíblia. A própria Bíblia nos adverte que pessoas se congregarão onde quer que haja mestres que estejam dispostos a lhes falar o que desejam ouvir (2 Tm 4.3-4). Crescimento numérico ou estrutural não é necessariamente uma indicação de crescimento do evangelho. (Considere isto: fracasso numérico também não é um indicador de crescimento do evangelho – não estamos sugerindo que pequenas igrejas fomentam inerentemente mais crescimento do evangelho do que grandes igrejas!)

Em segundo, isto significa que devemos estar dispostos a perder pessoas de nossa própria congregação, se isto for melhor para o crescimento do evangelho. Devemos ficar felizes por enviar membros a outros lugares para que o evangelho cresça ali também. E fiquemos avisados: isto acontecerá se levarmos a sério o treinamento e o crescimento do evangelho. Se gastarmos tempo com pessoas, guiando e treinando, a consequência será, frequentemente, que alguns de nossos melhores membros – em quem investimos horas incontáveis – nos deixarão. Eles irão para o campo missionário, se unirão a uma equipe de plantação de igreja em outra parte de nossa cidade. Assumirão um emprego numa parte diferente do país porque a necessidade do evangelho é muito grande. Realizarão treinamento adicional, talvez em um seminário ou numa faculdade teológica. Um compromisso com o crescimento do evangelho significará que treinaremos pessoas em direção à maturidade não para o benefício de nossas próprias igrejas ou comunidades, mas para o benefício do reino de Cristo.

A *terceira* implicação radical deste entendimento de "crescimento do evangelho" está na maneira como consideramos as pessoas. Vemos pessoas não como raios em nossa roda ou como recursos para nossos projetos, mas como indivíduos que estão, cada um, em seu próprio estágio de crescimento evangélico. E nosso alvo para cada pessoa é que elas avancem, façam progresso, se movam um passo à frente de onde estão agora.

Vamos pensar sobre isto em mais detalhes.

ESTÁGIOS NO CRESCIMENTO EVANGÉLICO

Pensando de modo amplo, há quatro estágios básicos do crescimento do evangelho na vida de uma pessoa. Podemos chamá-los:

- Evangelização
- Acompanhamento
- Crescimento
- Treinamento

No estágio de *evangelização*, pessoas entram em contato com a Palavra da verdade pela primeira vez. Pode ser inicialmente por meio de uma conversa sobre alguma questão de sua vida no mundo. Mas, de algum modo, em algum contexto (pequeno ou grande), alguém explica o evangelho para elas. A semente cria raízes, e no tempo de Deus e por obra do Espírito, produz fruto.

Uma vez que uma pessoa responde à mensagem do evangelho e coloca sua fé em Cristo, algum tipo de *acompanhamento* inicial é necessário para firmá-la na fé e ensinar-lhe as coisas básicas. Dependendo de seu contexto e circunstâncias, este estágio inicial de tornar-se firme pode levar poucos meses ou vários anos, mas, ainda que seja demorado, é vital que *alguém* se achegue ao novo crente para ensinar, cuidar e orar por ele.

Depois segue o processo vitalício de *crescimento* como discípulo cristão – crescimento no conhecimento de Deus e no caráter piedoso que resulta desse conhecimento. Este processo de crescimento não é uma tarefa fácil. É um caminho estreito e árduo, como o de Cristão, em *O Peregrino*, com muitos montes, vales, inimigos e desvios ao longo do percurso. Em vários pontos de sua viagem por este caminho, os cristãos enfrentarão problemas e precisarão de ajuda específica, conselho e oração. Uma doença severa ou uma provação pode sobrevir-lhes; um pecado específico pode começar a tirar o melhor deles; um período de fraqueza ou aridez espiritual pode atingi-los. Em todas estas circunstâncias – em tempos bons ou maus – a fórmula para o crescimento é a mesma: o ministério da Palavra e do Espírito. Quando a verdade da Bíblia é falada, ouvida e aplicada piedosamente e quando o Espírito age, o crescimento acontece.

O quarto estágio – *treinamento* – não é sequencial, como se acontecesse depois que o crescimento está completo. (Como poderia ser, visto que nunca paramos de crescer?) De fato, o estágio de "treinamento" acontece como parte do crescimento cristão, porque a maturidade cristã não é individualista e focalizada na própria pessoa – como se atingíssemos o clímax da piedade cristã quando tivéssemos a nossa hora de devoções cada dia. Crescer como Cristo é crescer em amor e num desejo de servir e ministrar aos outros. *Estamos usando a palavra "treinamento" para descrever o crescimento de todos os cristãos em convicção, caráter e competência, de modo que, em amor, possam ministrar aos outros por levar-lhes diligentemente a Palavra de Deus – quer em evangelização aos nãos cristãos, quer em acompanhamento dos novos crentes ou a todos os outros cristãos em crescimento diário.* Se todo cristão é um potencial trabalhador da videira (ver capítulo 4), então "treinamento" é aquele estágio da vida cristã em que as pessoas são equipadas, mobilizadas, adquirem recursos e são encorajadas para fazer esse trabalho. É aquele estágio em que seu crescimento em convicção (crenças), caráter (piedade) e competências (habilidades/capacidades) as leva a ministrar eficientemente aos outros.

O PROCESSO DE CRESCIMENTO EVANGÉLICO

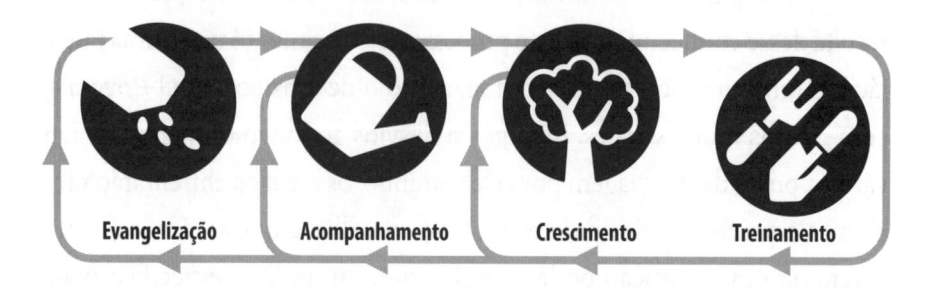

| Evangelização | Acompanhamento | Crescimento | Treinamento |

Agora, é vital que lembremos duas coisas. *Primeira*, embora todos os cristãos possam e devam ser treinados como trabalhadores da videira, nem todos são dotados a ministrar exatamente da mesma maneira ou na mesma extensão. Alguns serão pregadores e mestres, outros serão líderes de estudos bíblicos, alguns serão muito bons em evangelizar não cristãos e responder suas perguntas, outros se focalizarão em reunir-se individualmente com novos crentes e oferecer-lhes acompanhamento; e ainda outros serão pais e mães que ensinarão seus filhos. Há inúmeros contextos e oportunidades para trabalho de videira, e cada cristão terá sua parte a realizar dada por Deus.

Segunda, treinar cristãos a serem trabalhadores da videira não significa apenas o compartilhamento de certas capacidades e habilidades (como já discutimos antes). O discipulado cristão diz respeito à sã doutrina e a uma vida piedosa; portanto, treinar ou equipar pessoas para ministrar aos outros significa treinar e equipá-las com piedade e maneira de pensar corretos, e não apenas equipá-las com um conjunto de habilidades – porque isso é, por sua vez, o modo como precisarão ministrar aos outros. Para acompanharem um novo crente, por exemplo, crentes mais maduros precisam não somente saber como seguir um conjunto básico de estudos bíblicos; precisam também ser modelos de vida e de fé cristã madura.

PENSANDO NAS PESSOAS

Um benefício enorme de pensarmos sobre o crescimento cristão em estágios é que isso nos ajuda a pensar em, orar por e ministrar às pessoas onde elas estão. Se o crescimento evangélico acontece realmente no nível da vida individual da pessoa, como podemos ajudar cada pessoa a avançar? Como podemos levar a Palavra de Deus a cada uma delas?

Em seguida, apresentamos uma ferramenta diagnosticadora que nos ajuda a pensar nas pessoas. Faça uma lista de sete pessoas que você conhece, tanto crentes quanto não crentes de sua igreja. Onde cada uma delas está no crescimento evangélico? Vejamos se podemos visualizar isso, mapeando os vários estágios do "crescimento evangélico".[1]

	Evangelização		Acompanhamento	Crescimento		Treinamento	
	Levantando questões	Evangelho		Necessidade de ajuda	Firme	Geral	Específico
Bob	•						
Jean				•			
Barry					•		
Tracey			•				
Don						•	
Mark		•					
Sarah							•

Você percebe que subdividimos a maior parte dos estágios para sermos ajudados a pensar.

Bob, por exemplo, ainda não é um cristão. Está no estágio de evangelização, mas, em suas conversas com ele, talvez você ainda não chegou realmente a compartilhar o evangelho. Até o momento, ele está levantando várias questões que estão conectadas com Deus, com a fé e a Bíblia,

---

1 Esta tabela de diagnóstico ou planejamento foi extraída e adaptada do excelente livro de Peter Bolt, *Mission Minded* (Sidney: Matthias Media, 2000).

mas são os primeiros dias. Por outro lado, Mark já participou de um culto para visitantes e ouviu o evangelho explicado com clareza. Ainda não se tornou cristão, mas está à frente de Bob.

De modo semelhante, sob o estágio de crescimento, você observa que Jean está na categoria "necessidade de ajuda", enquanto Barry está "firme". Ambos têm sido cristãos por vários anos. Nenhum deles precisa acompanhamento inicial. Mas Jean está passando por um tempo difícil: seu marido não cristão tem um problema de jogos de azar, e ela está lutando para criar sozinha os seus filhos adolescentes. Ela era forte na fé, mas, em tempos recentes, começou a ficar amargurada e irada com Deus. Precisa de alguém (ou mais de uma pessoa) para estar ao seu lado, cuidar dela, orar com ela e encorajá-la, com base na Bíblia, a continuar prosseguindo. Barry, por sua vez, está indo razoavelmente bem. Não está avançando facilmente, mas no momento está fazendo progresso firme e bom, no Senhor.

Ora, estas não são categorias simples ou estritamente sequenciais. Quase todos os cristãos se moverão em, ou para fora, da categoria "necessidade de ajuda" em diferentes momentos de sua vida. No ano seguinte, talvez seja a vez de Barry passar por um tempo árduo. Mas, para definirmos o que cada um deles precisa no momento para crescer, é proveitoso que façamos uma distinção.

No estágio de treinamento, há duas subcategorias úteis: geral e específica. Estas se referem à obra de equipar e treinar que é aplicável a todo cristão e que se relaciona com ministérios específicos. Don, por exemplo, é um cristão maduro e firme que está aprendendo como entender e compartilhar sua fé com colegas de trabalho não cristãos. Este é um treinamento geral – é algo que todos os cristãos deveriam ser capacitados a fazer. Sarah, por outro lado, é uma senhora muito capaz e amorosa que tem uma verdadeira aptidão para explicar a Bíblia com clareza. No momento, ela está sendo treinada para liderar os grupos de estudos bíblicos de mulheres que se reúnem às quintas-feiras de manhã.

O objetivo de usar este tipo de ferramenta não é transformar o ministério cristão em um conjunto de listas, e sim ajudar-nos a *nos centrarmos nas pessoas* – porque o ministério diz respeito às pessoas e não a programas. Se nunca pensamos nas pessoas individualmente e trabalhamos a partir de onde elas estão, e se não sabemos como e em que área elas precisam de ajuda, como poderemos ministrar de outra maneira, que não seja de maneira casual e imprecisa? Essa maneira casual e imprecisa, seria como um médico pensando consigo mesmo: "Ver cada um de meus pacientes e diagnosticar individualmente suas doenças é muito difícil e toma muito tempo. Em vez disso, vou conseguir que todos os meus pacientes se reúnam cada semana, e darei a todos o mesmo remédio. Mudarei um pouco o remédio cada semana, e o remédio fará pelo menos algum bem a todos. Essa maneira de agir é muito mais eficiente e mais administrável".

Alguns leitores podem suspeitar que isso está parecendo muito anti-igreja e antissermão, e quando você ler o capítulo 8 ("Por que os sermões de domingo são necessários mas não suficientes"), suas suspeitas piorarão. Falarei mais sobre estas questões naquele capítulo; nesta altura, basta dizer que somos muito pró-igreja e pensamos que o "sermão" é uma forma essencial, valiosa e altamente eficaz de ministrar a Palavra de Deus – mas não é a única forma, não é a única maneira de vermos o crescimento evangélico acontecendo. Se fazer a videira crescer significa o crescimento de *pessoas*, precisamos ajudar cada pessoa a crescer, começando de onde ela está neste exato momento. Precisa haver o ministério minucioso e individual de pessoas, bem como os ministérios bastante eficientes que acontecem em grandes grupos. É esse tipo de ministério individualizado que Paulo contempla em 1 Tessalonicenses 5.

> Agora, vos rogamos, irmãos, que acateis com apreço os que trabalham entre vós e os que vos presidem no Senhor e vos admoestam;

e que os tenhais com amor em máxima consideração, por causa do trabalho que realizam. Vivei em paz uns com os outros. Exortamos-vos, também, irmãos, a que admoesteis os insubmissos, consoleis os desanimados, ampareis os fracos e sejais longânimos para com todos (1 Ts 5.12-14).

Os líderes trabalham com empenho em seu papel vital e devem ser altamente estimados por causa disso. Mas há um papel igualmente importante no qual os "irmãos" devem estar envolvidos: ministrar em todas as outras diferentes situações que cristãos individuais enfrentam na vida.

Este é outro enorme benefício de usarmos uma ferramenta de diagnóstico como a que mencionei antes. Ajuda-nos a ver o que as pessoas precisam em seguida – que é sempre ajudá-las a dar mais um passo para a direita. O que Jean, em necessidade de ajuda, precisa em seguida é ganhar (ou ganhar de novo) sua firmeza e estabilidade na fé cristã. O que o firme Barry precisa em seguida é de algum encorajamento e treinamento para começar a ministrar aos outros e não de apenas crescer em seu próprio mundo de felicidade. O que Bob, cheio de questões, precisa em seguida é ir além de discussões de assuntos gerais sobre Deus ou o cristianismo e ouvir o evangelho.

Incidentalmente, se você é o pastor de uma igreja, esta ferramenta também o ajudará a ver onde estão as lacunas, as falhas e as necessidades. Numa igreja de "crescimento evangélico" saudável, deve haver uma distribuição equilibrada de pessoas em todas as categorias. Se você fizer uma lista de todas as pessoas que conhece, incluindo tanto as pessoas em sua congregação quanto os contatos mais periféricos na congregação, verá rapidamente onde estão os desafios. Se houver poucas pessoas na categoria "evangelização", então sua igreja não está fazendo o suficiente para estabelecer contato com não cristãos e anunciar-lhes o evangelho. Se há muitas pessoas na categoria "evangelização", mas quase ninguém na categoria "acompanhamento", há uma possibilidade de que vocês estejam realizando muitos eventos e programas para fazer contato com as pessoas, mas não estão compartilhando dedicadamente o evangelho, com frequência suficiente para que pessoas sejam convertidas e precisem receber acompanhamento. E assim por diante.

◇◇◇◇◇◇◇

TREINAMENTO É O MECANISMO DO CRESCIMENTO EVANGÉLICO. SEGUNDO DEUS, a maneira de conseguirmos que haja mais crescimento evangélico é treinarmos cada vez mais cristãos maduros e piedosos para serem trabalhadores da videira – ou seja, é vermos mais pessoas equipadas, instruídas e encorajadas comunicando dedicadamente a Palavra a outras pessoas, quer em evangelização, quer em acompanhamento ou em crescimento cristão.

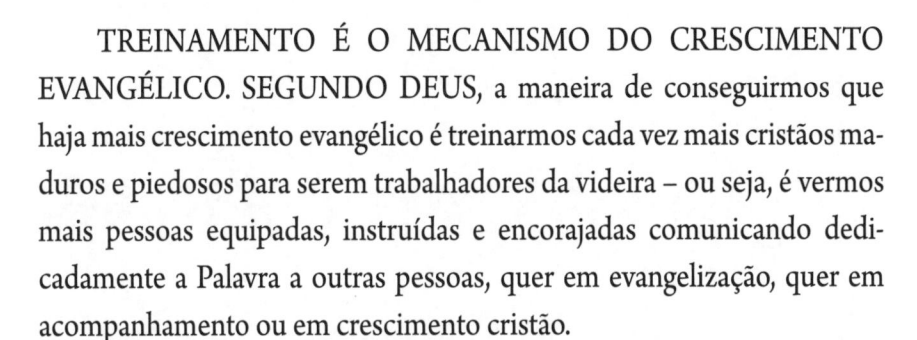

Infelizmente, na maioria das igrejas e para muitos pastores, pouco esforço é direcionado para treinamento. Fazer o evangelho crescer é visto basicamente como tarefa do pastor, e, visto que isso é quase impossível no nível pessoal e individual, tudo é feito no nível geral e de grandes grupos. E logo o gerenciamento e a realização de eventos, grupos, reuniões e estruturas consomem o tempo do pastor e a semana dos membros da igreja.

Não há outra maneira. Mas, antes de falarmos mais sobre o que é o ministério de treinamento, precisamos parar e abordar algumas questões que, sem dúvida, têm se desenvolvido na mente dos leitores por algum tempo.

Capítulo 8

POR QUE OS SERMÕES DE DOMINGO SÃO NECESSÁRIOS MAS NÃO SUFICIENTES?

No fluxo de nosso argumento, chegamos ao ponto em que precisamos parar e considerar, em mais detalhes, como o modelo de treinamento e crescimento que estamos propondo colide com a realidade de estruturas, modelos e práticas de nossas igrejas. Porque ele colidirá realmente. Em geral, o maior obstáculo a repensarmos e reformarmos nossos ministérios é a inércia da tradição – ou as tradições de nossa denominação e clericalismo mantidas há muito tempo, ou as tradições mais recentes do movimento de crescimento de igreja, que se tornaram um tipo de ortodoxia implícita em muitas igrejas evangélicas.

No devido momento, chegaremos à proposição um tanto alarmante contida no título deste capítulo, mas, primeiramente, vamos considerar duas abordagens muito comuns e, depois, contrastá-las com a abordagem deste livro. Ora, é claro que essas abordagens comuns são estereótipos e não podem refletir a realidade multifacetada do ministério em toda a sua variedade. Entretanto, acreditamos que você pode reconhecer as estruturas e tendências refletidas nas descrições e fazer os ajustes de acordo com sua própria situação.

Há três abordagens ou ênfases que desejamos examinar e designamos:

- o pastor como um clérigo provedor de serviços.
- o pastor como diretor executivo (CEO).
- o pastor como treinador.

O PASTOR COMO UM CLÉRIGO PROVEDOR DE SERVIÇOS

Nesta maneira de pensar sobre a vida e o ministério da igreja, o papel do pastor é cuidar da congregação e alimentá-la. Neste sentido, ele é um clérigo profissional (seja ou não chamado "clérigo"), e há a expectativa tanto da parte da congregação quanto da parte do pastor de que ele seja pago para realizar determinadas funções essenciais:

- alimentar o rebanho por meio de seus sermões dominicais e da administração da Ceia do Senhor.
- organizar e realizar as reuniões de domingo, entendidas como um tempo de adoração para a congregação.
- realizar cultos ocasionais para atender a diversos propósitos, como batismo, casamentos e talvez cultos para visitantes.
- aconselhar pessoalmente os membros da congregação, especialmente em tempos de crise.

Este é o modelo evangélico reformado clássico de um ministro ordenado que pastoreia o rebanho confiado a ele por Deus. E possui grandes vantagens:

Por que os sermões de domingo são necessários mas não suficientes?

- Coloca acertadamente a pregação da Palavra no centro do ministério.
- Reúne toda a congregação como uma família aos domingos, para oração, louvor e pregação.
- Os cultos ocasionais oferecem oportunidades para evangelização.
- O pastor cuida de seu povo em tempos de crise.

No entanto, há também desvantagens reais (e óbvias) que acompanham esta abordagem. Primeiramente, o ministério que acontece na congregação ficará limitado aos dons e capacidades do pastor: quão eficientemente ele prega e quantas pessoas ele pode conhecer e aconselhar pessoalmente. Neste modelo, torna-se muito difícil para a congregação crescer além do espaço que ocupa em seu prédio (geralmente entre 100 e 150 membros regulares).

Talvez a mais impressionante desvantagem desta maneira de pensar sobre o ministério é que ela se alimenta de e incentiva a cultura de "consumismo" que já é abundante em nossa cultura. Harmoniza-se perfeitamente com o espírito de nossa época em que pagamos profissionais treinados para fazerem tudo por nós, em vez de o fazermos nós mesmos – seja limpar o carro, passar camisas ou caminhar com o cachorro. A tendência é que a vida e a comunhão cristãs sejam reduzidas a uma hora e meia do domingo de manhã, com pouco ou nenhum relacionamento e muito pouco ministério verdadeiro sendo realizado pela própria congregação. Neste tipo de cultura de igreja, torna-se muito fácil a congregação pensar na igreja quase totalmente em termos de "o que ganho da igreja" e, assim, cair facilmente em críticas e queixas quando as coisas não são como as pessoas gostam.

Até a boa prática de aconselhamento pastoral pode se tornar focalizada no tema "eu" ser cuidado pelo pastor – de modo que, se o pastor auxiliar visita os membros em lugar do pastor principal, isto não é visto como adequado: "O pastor o enviou somente porque não podia, ele mesmo, se importar em vir".

Nada é responsabilidade do "consumidor"! Apesar de todas as suas virtudes históricas, a abordagem de pastor como um clérigo diz alto e claro aos membros da igreja que eles estão ali para receber e não para dar. Como modelo, essa abordagem tende a produzir consumidores espirituais e não discípulos ativos de Cristo e, muito facilmente, funciona apenas em modo de manutenção. Evangelização, tanto para os membros individuais da congregação quanto para a igreja como um todo, está no fim da lista.

Em muitos aspectos, esta primeira maneira de pensar sobre o ministério pastoral reflete a cultura e normas de um mundo diferente – o mundo de nações cristianizadas dos séculos XVI e XVII, no qual toda a comunidade estava na igreja e o pastor era um dos poucos que tinham educação suficiente para ensinar.

O PASTOR COMO DIRETOR EXECUTIVO (CEO)

Em muitos aspectos, o "movimento de crescimento de igreja" dos 1970 e 1980 foi uma resposta direta à visão reformada e evangélica de ministério e vida eclesiástica. As pessoas perceberam algumas das desvantagens que já mencionamos e começaram a pensar em como poderiam ser tratadas. Falando em generalizações amplas, os resultados foram algumas mudanças básicas:

- O pastor continuou sendo visto como um clérigo, mas seu papel se tornou mais focalizado em liderar a congregação como uma organização com alvos específicos; ele ainda era um pregador e um provedor de serviço pastoral, mas era também um líder gerencial responsável por fazer todas essas coisas acontecerem em larga escala. Se a igreja tivesse de crescer, o pastor tinha de aprender

Por que os sermões de domingo são necessários mas não suficientes?

a diferença entre gerenciar uma pequena loja como um único negócio e gerenciar uma loja de departamentos com muitos empregados e inúmeros serviços.

- O foco de domingo mudou em direção a um "modelo atrativo", com o tipo de música, decoração e pregação que seria atraente aos visitantes e novos frequentadores. Se a igreja devia crescer, sua "vitrine" precisava ser muito mais apelativa ao "mercado-alvo". Isso parece estranho quando o expressamos nestas palavras, mas, para muitas igrejas, era profundamente centrado no evangelho. Originava-se de um desejo piedoso de remover obstáculos culturais desnecessários que impediam o ouvir a Palavra de Deus e de assegurar que a única coisa bizarra, ofensiva ou estranha na igreja era o próprio evangelho.

- Em vez dos cultos ocasionais, o movimento de crescimento de igreja produziu uma revolução de programas e eventos tanto para os membros da igreja quanto para os de fora – desde cursos e programas evangelísticos a eventos de evangelização planejados para atrair os amigos não cristãos à congregação, a seminários e programas que visavam ajudar os membros da congregação em diferentes aspectos de sua vida (como criar filhos, como lidar com a depressão e assim por diante).

- Numa igreja de 500 membros (e não de 150), como poderiam os membros individuais ser conhecidos e cuidados? Como poderiam ser alvo de oração em seu favor e ajudados em tempos de crise? Aconselhamento individual por parte de uma equipe de pastores (incluindo, o pastor principal) era impossível, especialmente por causa da gama de outros programas e atividades que estavam acontecendo. A solução foi o surgimento de pequenos grupos, nos quais os membros poderiam ter um núcleo de relacionamentos pessoais pelos quais poderiam ser conhecidos e cuidados.

Uma das principais virtudes e vantagens da abordagem do crescimento de igreja tem sido sua promoção do *envolvimento* congregacional. Este é um dos principais discernimentos do movimento – se você quer que alguém congregue em sua igreja e se sinta parte do lugar, ele precisa ter algo a fazer. A pesquisa de crescimento de igreja nos diz que, se você achar para alguém um papel, uma tarefa ou uma oportunidade de envolvimento pessoal em algum ministério dentro de seis meses em que ela permanece em sua igreja, aumentam enormemente as suas chances de reter essa pessoa como um membro de permanência demorada.

A outra virtude importante da abordagem de "crescimento de igreja" é seu reconhecimento de que, se uma congregação deve crescer numericamente, ela precisa colocar mais trabalho na treliça. Como diz o jargão, o pastor terá de gastar menos tempo "executando o trabalho" e mais tempo "gerenciando o trabalho". Isto é apenas uma função inevitável de crescimento e mudança organizacional. E o pensamento de "crescimento de igreja" ajudou muitos pastores a encararem estes desafios de liderança.

Não há dúvida de que muitas igrejas cresceram nos 30 anos passados por aplicarem com sucesso princípios do "movimento de crescimento de igreja". Isso capacitou igrejas a crescerem além de 150 membros e a promoverem envolvimento mais ativo dos membros da congregação em vários grupos, atividades e programas.

O aspecto negativo tem sido o de que, para todo o crescimento em números e em envolvimento, muitas igrejas que adotaram a abordagem de "crescimento de igreja" têm aceitado também pressupostos consumistas de nossa sociedade. Sucesso tem sido alcançado por oferecer um "produto" mais atraente e grandemente apelativo, porém o resultado nem sempre é mais ministério dedicado da Palavra e, por conseguinte, mais crescimento espiritual. Muitas pessoas são envolvidas e cuidadas, recebendo ajuda em sua vida, mas elas estão crescendo como discípulos e crescendo em missões?

A igreja Willow Creek Community descobriu isto recentemente, após 20 anos na vanguarda do movimento de crescimento de igreja. Numa pesquisa detalhada de seus membros, a equipe ministerial da igreja descobriu que, apesar de comandarem uma das mais bem organizadas e mais atraentes igrejas da América – com estruturas magníficas, música e teatro de alta qualidade e um impressionante nível de envolvimento dos membros em todo tipo de atividade e pequenos grupos – o crescimento espiritual como discípulos não estava acontecendo.[1]

Poderíamos apresentar estas duas abordagens num quadro como este:

	Pastor como clérigo	Pastor como diretor executivo (CEO)
O pastor é...	Pregador e provedor de serviços	Pregador e gerente
Domingo é...	Culto de adoração	Reunião atrativa
Fora do domingo...	Cultos ocasionais	Gama de eventos e programas
Cuidado pastoral por...	Aconselhamento e visitação	Pequenos grupos
A igreja é como...	Uma loja de esquina com um só empregado	Uma loja de departamentos com inúmeros empregados
Tende a resultar em...	Consumidores em modo de manutenção	Consumidores em modo de crescimento

O PASTOR COMO TREINADOR

Temos argumentado, com base na Bíblia, que:

- crescimento espiritual genuíno surge apenas quando o Espírito Santo aplica a Palavra de Deus ao coração das pessoas.
- todos os cristãos têm o privilégio e a responsabilidade de falar diligentemente a Palavra de Deus uns aos outros e aos não cristãos, como o meio pelo qual Deus opera este crescimento.

---

[1] Ver G. Hawkins e C. Parkinson, *Reveal: Where Are You?* (Chicago: Willow Creek Resources, 2007).

Se estas duas proposições fundamentais são verdadeiras, precisamos de um quadro mental diferente da vida eclesiástica e do ministério pastoral – um quadro em que o falar diligentemente a Palavra de Deus seja central *e* no qual os cristãos sejam treinados e equipados para ministrar a Palavra de Deus aos outros. Nossas congregações se tornam centros de treinamento nos quais as pessoas são treinadas e ensinadas a serem discípulos de Cristo que, por sua vez, procuram fazer outros discípulos.

- Nesta maneira de pensar, o pastor é um pregador dedicado que molda e direciona todo o ministério por meio de sua pregação bíblica e expositiva. Isto é essencial e fundamental. Mas, crucialmente, o pastor é também um treinador. Sua tarefa não é apenas prover serviços espirituais, nem fazer tudo no ministério. Sua tarefa é ensinar e treinar sua congregação, por sua palavra e sua vida, para se tornarem discípulos que fazem discípulos de Jesus. Neste modelo, há uma dissolução radical da distinção leigo-clérigo. Não é ministro e ministrados, mas o pastor e seu povo trabalhando em parceria íntima em todas as formas de ministério da palavra.
- Acrescentar esta ênfase de treinamento aprimora grandemente o que fazemos em nossas reuniões de domingo, porque nutre e desenvolve a maturidade evangélica daqueles que frequentam a igreja. Estamos treinando pessoas para serem contribuintes e servos, não espectadores e consumidores. A congregação se torna um ajuntamento de discípulos que fazem discípulos na presença de seu Senhor – encontrando-se com ele, ouvindo sua Palavra, respondendo a ele em arrependimento, adoração e fé e discipulando uns aos outros. A reunião congregacional se torna não somente um palco para o ministro (onde a Palavra é pregada diligentemente), mas também um estímulo e incentivo para a adoração e o ministério que cada discípulo realizará na semana por vir.

Por que os sermões de domingo são necessários mas não suficientes?

- Onde o pastor é um treinador, haverá um foco em pessoas ministrando a pessoas e não em estruturas, programas e eventos. Acontecerá evangelização à medida que discípulos alcançam pessoas ao seu redor: em seus lares, entre seus parentes, em suas ruas, locais de trabalho, escolas e assim por diante. Eventos, programas e cultos para convidados ainda serão estruturas úteis em que os esforços de pessoas podem ser focalizados e oferecerão oportunidades para convidar amigos, mas a obra real de evangelização diligente acontecerá à medida que os próprios discípulos a realizam. Levando em conta nosso exemplo do capítulo anterior, a evangelização acontecerá quando Don tomar tempo para conhecer Bob e, depois, oferecer-se para ler com ele um dos evangelhos.
- Nesta abordagem, o cuidado pastoral está também alicerçado em discípulos sendo treinados a cuidar de e a discipular outros cristãos. Pequenos grupos podem ser utilizados como um meio conveniente pelo qual isso pode acontecer, mas a própria estrutura não o fará acontecer. Nosso alvo não deve ser apenas "ter pessoas em pequenos grupos". A estrutura de pequenos grupos não será eficiente para o crescimento espiritual, a menos que os cristãos sejam ensinados e treinados a reunirem-se uns com os outros, a lerem a Bíblia e orarem uns com os outros ou a exortarem e estimularem uns aos outros quanto ao amor e às boas obras. Como resultado, pessoas podem chegar a conhecer uma às outras em pequenos grupos, ter um sentimento de intimidade, desenvolver amizades calorosas e serem mais comprometidos com a frequência regular às reuniões e com o envolvimento na igreja – mas nenhuma destas coisas equivale a crescimento no evangelho. Numa congregação, é muito possível ser feito uma grande quantidade de encorajamento pessoal e obra de discipulado um a um, sem qualquer envolvimento em pequenos grupos estruturados.[2]

---

2 Quanto a ideias adicionais sobre pequenos grupos e como eles podem ser instrumentos positivos para o crescimento evangélico, ver Collin Marshal, *Growth Groups* (Sidney: Matthias Media, 1995).

A abordagem "pastor como treinador" contrasta desta maneira com os dois outros modelos:

	Pastor como clérigo	Pastor como diretor executivo (CEO)	Pastor como treinador
O pastor é...	Pregador e provedor de serviços	Pregador e gerente	Pregador e treinador
Domingo é...	Culto de adoração	Reunião atrativa	Reunião de discípulos adoradores com o seu Senhor
Fora do domingo...	Cultos ocasionais	Gama de eventos e programas	Discípulos alcançam outras pessoas para fazerem discípulos
Cuidado pastoral por...	Aconselhamento e visitação	Pequenos grupos	Pessoas ministram a pessoas
A igreja é como...	Uma loja de esquina com um só empregado	Uma loja de departamentos com inúmeros empregados	Uma equipe com um técnico e capitão ativo
Tende a resultar em...	Consumidores em modo de manutenção	Consumidores em modo de crescimento	Discípulos em modo de missão

Nesta altura, vale a pena repetir os avisos feitos antes neste capítulo (caso tenham desaparecido de nossa memória). Nesta discussão, estamos lidando inevitavelmente com figuras e estereótipos. Nenhuma igreja específica será um exemplo perfeito de qualquer destas abordagens ou ênfases; haverá enorme variação individual. Na verdade, você pode considerar sua própria igreja e reconhecer que ela é um estranho amálgama de duas ou mais igrejas!

No entanto, como um experimento de reflexão, delinear estas três abordagens é proveitoso. As tendências e tradições são reconhecíveis, bem como as consequências.

Por que os sermões de domingo são necessários mas não suficientes?

O SERMÃO INSUFICIENTE

Talvez a melhor maneira de aguçar nosso argumento seria dizer que os sermões de domingo são necessários mas não suficientes. Isto talvez pareça heresia para alguns de nossos leitores, e, num sentido, espero que pareça realmente chocante. Estamos desvalorizando a pregação? Sermões expositivos, fiéis e piedosos, acompanhados de oração, são tudo que é realmente exigido para a edificação da igreja de Cristo?

Sermões são necessários, mas não são *tudo* que é necessário. Sejamos bastante claros: a pregação de exposições bíblicas poderosas, fiéis e convincentes é vital e necessária à vida e ao crescimento de nossas congregações. Pregação fraca e inadequada enfraquece nossas igrejas. Com diz o jargão: "Sermõezinhos produzem cristãozinhos". No sentido contrário, pregação poderosa, clara, forte e pública é a base e o alicerce sobre o qual todo o ministério da congregação é edificado. O sermão é uma chamada à ação. É onde toda a congregação pode se alimentar, conjuntamente, da Palavra de Deus e ser desafiada, consolada e edificada. O ministério de pregação pública é como uma estrutura que estabelece o padrão e a agenda para que todos os outros ministérios da Palavra aconteçam. Não queremos ver menos ênfase na pregação ou menos esforço direcionado à pregação! Pelo contrário, anelamos que haja muitos mestres da Bíblia capacitados que porão fogo nas congregações por meio do poder da Palavra pregada.

Dizer que os sermões (e, neste sentido, exposições da Bíblia em nossas reuniões de domingo) são necessários mas não suficientes é o mesmo que insistir na verdade teológica de que a suficiência está na Palavra do evangelho e não em qualquer forma específica de sua pregação. Podemos dizer que falar a Palavra do evangelho sob o poder do Espírito é totalmente suficiente – apenas isso, e não a forma de sermão de 25 minutos.

Afirmamos isto porque o Novo Testamento nos compele. Como já vimos, Deus espera que todos os cristãos sejam fazedores de discípulos por meio de falarem dedicadamente a Palavra de Deus aos outros – da maneira e na extensão que seus dons e circunstâncias permitirem. Visto que Deus capacita todos os membros da congregação a cooperarem para a formação de discípulos, por que deveríamos silenciar a contribuição de todos, exceto um deles (o pastor) e pensar que isto é suficiente e aceitável?

Em seu excelente livro sobre pregação, *Speaking God's Word* (Falando a Palavra de Deus), Peter Adam realiza uma pesquisa detalhada dos ministros da Palavra no Novo Testamento, junto com uma consideração das práticas de ministério de João Calvino, Richard Baxter e ministros de igrejas de nossos dias. Ele conclui que:

> ...embora a pregação... seja uma forma de ministério da Palavra, muitas outras formas são refletidas na Bíblia e na vida da igreja cristã contemporânea. É importante assimilar com clareza este ponto, pois, do contrário, tentaremos e faremos a pregação levar um peso que não pode suportar; ou seja, um peso de fazer tudo que a Bíblia espera de outras formas de ministério da Palavra.[3]

Adam prossegue definindo pregação como a "explicação e aplicação da Palavra à congregação de Cristo, a fim de produzir preparação coletiva para serviço, unidade da fé, maturidade, crescimento e edificação".[4] Mas ele ressalta que a pregação de domingo não é a única maneira de alcançarmos a edificação do corpo:

> Embora indivíduos possam ser edificados por serem membros da congregação, pode muito bem haver outras áreas em que eles precisam de correção e treinamento na justiça; e isso eles não obterão por

---
3 Peter Adam, *Speaking God's Word: A Practical Theology of Preaching* (Leicester: IVP, 1996), p. 59.
4 Ibid., p. 71.

meio do sermão dominical, porque, devido à sua própria natureza, ele é generalista em sua aplicação.⁵

Bem, talvez você pergunte, o que está sendo sugerido é que, assim como um sermão de 25 minutos, tenhamos 50 testemunhos de um minuto por parte da congregação?

Isso poderia produzir uma manhã de domingo fascinante e encorajadora (embora longa), mas não é o que estamos propondo. O domingo não é a única ocasião em que a ação acontece. Isto é algo que um dos grandes ministros do evangelho de nossa herança reformada sabia muito bem.

O EXEMPLO DE RICHARD BAXTER

O nome de Richard Baxter está para sempre associado à sua obra clássica, *The Reformed Pastor* (em português, O Pastor Aprovado). Interessantemente, ao usar o termo "Reformed" (Reformado), Baxter não pretendia se referir a designação específica de doutrina (embora sua teologia incerta fosse certamente "reformada" nesse sentido), e sim a um ministério que era renovado e revigorado, que abundava em vigor, zelo e propósito. "Se Deus quer reformar o ministério", escreveu Baxter, "e colocar zelosa e fielmente os ministros em seus deveres, as pessoas precisam certamente ser reformadas".⁶

O admirável ministério de Baxter entre as 800 famílias da vila de Kidderminster começou em 1647 e transformou a paróquia. Sua estratégia de ministério pastoral foi formada durante o caótico vácuo de autoridade e disciplina eclesiástica que seguiu a Guerra Civil Inglesa e o fracasso das reformas de Westminster. Baxter queria ter certeza de que todo paroquiano entendesse as doutrinas básicas da fé e da vida piedosa, e *The Reformed Pastor* (O Pastor Aprovado), publicado em 1656, consiste de

---
5 Ibid., p. 71.
6 Richard Baxter, *Reliquiae Baxterianae*, ed. M. Sylvester (London: 1696), p. 115, citado em J. I. Packer, *A Quest for Godliness* (Wheaton: Crossway Books, 1990), p. 38.

uma exortação extensa aos seus colegas ministros para que conduzissem um ministério que não fosse meramente formal, mas pessoal e local.

Por exigir esta reforma do ministério e da vida eclesiástica, o principal objetivo de Baxter era a salvação de almas: "Estamos buscando erguer o mundo para salvá-lo da maldição de Deus, aperfeiçoar a criação, atingir os propósitos da morte de Cristo, salvar a nós mesmos e os outros da condenação, vencer o Diabo, destruir seu reino, estabelecer o reino de Cristo, alcançar e ajudar outros a alcançarem o reino de glória".[7]

Este desafio confrontador e abrangente para a conversão de almas permeia cada parte de *The Reformed Pastor* (O Pastor Aprovado) – falando do cuidado do pastor sobre si mesmo ou de seu cuidado sobre o rebanho. Isto, Baxter acreditava, era a causa e a agenda para a reforma da igreja. Não poderia ser conseguido meramente por meio de mudanças estruturais:

> Posso lembrar o tempo em que anelava pela reforma em questões de cerimônia... Podemos pensar que a reforma é operada quando lançamos fora algumas cerimônias e mudamos algumas vestes, gestos e formas? Oh, não, senhores! O nosso negócio é a conversão e a salvação de almas. Essa é a principal parte da reforma, que faz o maior bem e tende mais à salvação das pessoas.[8]

Na opinião de Baxter, se o ministério deveria ser reformado para focalizar a conversão de almas, os pastores tinham de dedicar bastante tempo ao "dever de catequizar e instruir pessoalmente o rebanho". Ele entendia o trabalho pessoal com indivíduos como algo que tinha um lugar insubstituível, porque oferecia "a melhor oportunidade para gravar a verdade no coração deles, quando podemos falar diretamente à necessidade

---

7 Richard Baxter, *The Reformed Pastor*, 5th ed. (London: Banner of Truth, 1974), p. 112.
8 Ibid., p. 211.

específica do indivíduo e dizer ao pecador: 'Tu és o homem'".[9] A pregação pública não era suficiente, de acordo com Baxter. De fato, ele chegou ao ponto de dizer: "Não tenho dúvida de que a confissão auricular papal é uma novidade pecaminosa... mas a nossa negligência comum de instrução pessoal é muito pior!"[10] Foi apenas por meio de catequização pessoal que Baxter pôde achar aqueles que:

> ...têm sido meus ouvintes há oito ou dez anos, que não sabem se Cristo é Deus ou homem e se admiram quando lhes conto a história do nascimento, da vida e da morte de Cristo, como se não a tivessem ouvido antes... Tenho descoberto que algumas pessoas ignorantes, que têm sido, por muito tempo, ouvintes infrutíferos, obtiveram mais conhecimento e arrependimento em meia hora de conversa íntima do que em dez anos de pregação pública. Sei que pregar o evangelho publicamente é o meio mais excelente, porque falamos a muitos de uma única vez. Contudo, é muito mais eficaz pregar o evangelho em privado a um pecador específico.[11]

Em outro parágrafo, Baxter escreveu:

> A menor parte da obra do ministro é a que ele realiza no púlpito... Ir diariamente de uma casa a outra e ver como alguém vive, observar como ele progride e instruí-lo nos deveres de sua família e em sua preparação para a morte, essa é a grande obra.[12]

Baxter trabalhou com empenho para convencer os outros quanto à necessidade deste tipo de reforma do ministério. Ele formou a "Worcester

---
9 Ibid., p. 175.
10 Ibid., pp. 179-180.
11 Ibid., p. 196.
12 Richard Baxter, *The Saints Everlasting Rest*, citado em J. William Black, *Reformation Pastors: Richard Baxter and the Ideal of the Reformed Pastor* (Milton Keynes: Paternoster, 2004), p. 177.

Association" para promover a causa, cujos membros aceitavam o compromisso de conhecer pessoalmente cada pessoa sob sua responsabilidade – um compromisso desafiador até agora, porém revolucionário na época de Baxter.

Infelizmente, o exemplo de Baxter foi "aclamado por muitos, seguido por poucos e, por fim, talvez em geral, simplesmente abandonado".[13] Certamente, poucos pastores de hoje andam nos passos de Baxter, embora tenham lido *The Reformed Pastor* (O Pastor Aprovado) em algum tempo no seminário e acenado a cabeça em aprovação. A *ideia* de ministério pessoal em conjunto com o ministério de pregação é admirável e difícil de alguém discordar. É também completamente bíblica. Paulo disse aos presbíteros de Éfeso que ele jamais deixara "de vos anunciar coisa alguma proveitosa e de vo-la ensinar publicamente e também de casa em casa" (At 20.20). O local do ministério da Palavra é necessariamente público, mas é também inescapavelmente pessoal e doméstico. De acordo com Baxter, esta é a única maneira pela qual podemos cumprir a poderosa exortação de Paulo aos mesmos presbíteros: "Atendei por vós e por todo o rebanho sobre o qual o Espírito Santo vos constituiu bispos, para pastoreardes a igreja de Deus, a qual ele comprou com o seu próprio sangue" (At 20.28).

Visto que nosso contexto é inegavelmente diferente do de Baxter – cultural, política, social e educacionalmente – como os discernimentos de Baxter instruem nosso entendimento do ministério? Há quatro desafios principais:

- A evangelização está no âmago do ministério pastoral. O ministério não é apenas lidar com crises e problemas imediatos, ou fazer números, ou reformar estruturas. É fundamentalmente preparar almas para a morte.

---

13 Black, *Reformation Pastors*, p. 105.

Por que os sermões de domingo são necessários mas não suficientes?

- Os pastores não precisam ficar presos a estruturas tradicionais, e sim usar quaisquer "meios" (termo de Baxter) disponíveis para chamar pessoas ao arrependimento e à salvação. Para Baxter, isto significava não ser preso ao púlpito, mas também ir às casas das pessoas para instruí-las e exortá-las.
- Devemos nos focalizar não apenas no que estamos ensinando, mas também no que as pessoas estão aprendendo e aplicando.
- Em muitos aspectos, em nossa época de educação ampla, há ainda mais espaço para implementar a visão de Baxter de catequização pessoal. Em muitas partes do mundo, há agora leigos altamente educados que podem aprender bem e ser capazes de ensinar outros. O discipulado pessoal de casa em casa pode ser feito não somente pelo pastor, mas também pelos fazedores de discípulos que o pastor treinar.

Um dos primeiros passos em aplicar estes desafios é realizar um exame honesto de todos os seus programas, atividades e estruturas congregacionais, avaliando-os pelo critério de crescimento do evangelho. Quantos deles ainda são instrumentos úteis para evangelização, acompanhamento, crescimento ou treinamento? Há duplicação? Algumas estruturas ou atividades regulares perderam sua validade há muito tempo? Dizer "sim" a mais ministério pessoal quase sempre significa dizer "não" a algumas outras coisas.

No entanto, liberar algum tempo na agenda pode nos deixar com o sentimento de que estamos sobrecarregados com a quantidade de "trabalho de pessoa" que há para ser feito. É por isso que precisamos de cooperadores.

Capítulo 9

MULTIPLICANDO O CRESCIMENTO DO EVANGELHO, ATRAVÉS DO TREINAMENTO DE COOPERADORES

Vamos retornar ao nosso pastor motivado mas sobrecarregado. Ele quer que sua igreja se torne um centro de treinamento e quer equipar seu povo como "trabalhadores da videira", mas, ao mesmo tempo, está sobrecarregado de trabalho – pregação, comissões, crises pastorais e o resto. Ele tem 130 pessoas para cuidar – frequentadores regulares e vários contatos e pessoas à espera – e faz o exercício de listar todas essas pessoas e de avaliar em que estágio elas estão no processo de "crescimento evangélico".

O problema é: ele tem pouco tempo para gastar com dez delas e muito menos com 130. Como ele começará a ministrar de forma pessoal a este número de pessoas? Como fará progresso em treiná-las para serem trabalhadores da videira?

Vamos analisar o problema ao considerar nossas sete pessoas imaginárias do quadro "crescimento evangélico" no capítulo 7.

	Evangelização		Acompanhamento	Crescimento		Treinamento	
	Levantando questões	Evangelho		Necessidade de ajuda	Firme	Geral	Específico
Bob	•						
Jean				•			
Barry					•		
Tracey			•				
Don						•	
Mark		•					
Sarah							•

Digamos que o tempo de nosso pastor só lhe permite reunir-se pessoalmente com dois deles. Com quais dois ele deve se reunir?

Poderíamos sugerir Jean (porque ela precisa realmente de ajuda) e Bob (porque ele precisa realmente ouvir o evangelho). Noutra sugestão, poderíamos dizer Mark (porque ele está cruzando a linha e se tornando um cristão) e Tracey (porque ela já cruzou a linha e precisa de acompanhamento). Isto deixa nossos cristãos mais maduros (Bary, Don e Sarah) sem nenhuma instrução da parte do pastor, mas, visto que eles são um tanto firmes, presumimos que conseguirão vencer.

No entanto, a agenda tem espaço somente para duas pessoas. Então, quem será escolhido? Em última análise, a maioria dos pastores talvez acabaria escolhendo Tracey e Jean, porque elas são membros da congregação e cristãs; e o pastor pode se sentir devedor a elas. Terá de deixar Bob e Mark (os não cristãos) para algum outro tempo.

Em certo nível, este tipo de decisão nos lança de volta à soberania de Deus. Todo o ministério cristão é assim. Há mais pessoas do que podemos atender. Nem tudo depende de nós, louvado seja Deus!

Entretanto, no que diz respeito a fazer uso mais sábio de seu tempo e energias e maximar as possibilidades do crescimento evangélico, as pessoas com quem nosso pastor deveria gastar seu tempo são Don e Sara, e seguidos de perto por Barry.

Devemos lembrar que Don já está fazendo algum treinamento em como compartilhar o evangelho com outros. Se nosso pastor gastar algum tempo em ajudar e supervisionar Don nisto, poderá encorajar Don a orar por e se reunir com Bob e Mark (os dois não cristãos), talvez para fazerem, juntos, um estudo bíblico evangelístico.

Sarah tem o amor e os dons; tudo que ela precisa é de algum encorajamento pessoal, instrução, conselhos e supervisão. Assim ela será mais capaz de ficar perto de Jean para encorajá-la, e, ao mesmo tempo, fazer algum acompanhamento básico com Tracey.

Portanto, investindo seu tempo em Don e Sarah, nosso pastor ocupado ministra também (por meio deles) aos outros quatro. Resta apenas Barry, que é o próximo na lista de pessoas com quem o pastor deve fazer treinamento.

Há os que dizem que isso é contrário ao bom senso. Vai contra o que geralmente se espera. Nosso primeiro instinto é seguirmos diretamente para aqueles que precisam de mais ajuda – e, claro, como pastores, sempre haverá tempos em que precisaremos deixar as 99 ovelhas para buscar uma única. Haverá emergências e problemas pastorais com os quais teremos de lidar.

Mas, se investirmos nosso tempo em cuidar daqueles que precisam de ajuda, os cristãos estáveis estagnarão e nunca serão treinados para ministrar aos outros, os cristãos continuarão não evangelizados, e um princípio logo surgirá na congregação: se você quer tempo e atenção do pastor, arranje um problema para si mesmo. O ministério se tornará totalmente focalizado em problemas e aconselhamento e não no evangelho e crescimento na piedade.

E, com o passar do tempo, a videira murcha.

O GRUPO DE IRMÃOS DE PAULO

Evidentemente, não somos os primeiros a sugerir que o ministério cristão é um jogo de equipe. O próprio apóstolo Paulo tinha uma ampla rede de colegas e cooperadores que trabalhavam com ele em seu ministério. Até 100 nomes estão associados com Paulo no Novo Testamento, dos quais cerca de 36 poderiam ser considerados parceiros e colegas de trabalho. Paulo usou duas designações específicas para eles: cooperadores (*sunergoi*) e ministros (*diakonoi*).

Sem tentarmos reproduzir em extremo o padrão de Paulo, o que podemos aprender de seu exemplo? Vejamos cada um dos dois títulos ou designações.

Cooperadores

Paulo falou caracteristicamente de si mesmo como um trabalhador de Cristo, um operário que labutava e se esforçava na obra que o Senhor lhe dera a fazer (ver, por exemplo, 1 Co 3.8-9; 16.10; Fp 1.22; Cl 1.29). O resultado de seu ministério, como, por exemplo, a igreja em Corinto, ele descreveu como seu "trabalho no Senhor" (1 Co 9.1).

Portanto, era bastante natural que Paulo se referisse àqueles que trabalhavam com ele como seus *sunergoi*, seus cooperadores ou colegas de trabalho. Em Romanos 16, Priscila e Áquila são descritos como seus "cooperadores em Cristo Jesus", Urbano é um "cooperador em Cristo", e Timóteo é também um "cooperador". Em outra epístola, Timóteo é chamado "nosso irmão" e "ministro de Deus no evangelho de Cristo" (1 Ts 3.2). O nobre Epafrodito é também um "irmão, cooperador e companheiro de lutas" (Fp 2.25). E Paulo queria que Evódia e Síntique resolvessem sua discórdia porque elas "juntas se esforçaram comigo no evangelho, também com Clemente e com os demais cooperadores meus, cujos nomes se encontram no Livro da Vida" (Fp 4.2-3).

O ministério de Paulo era colegiado. Havia uma irmandade e uma unidade que se originavam de seu *status* comum de cooperadores – não uns com os outros, mas com Deus:

Multiplicando o crescimento do evangelho, através do treinamento de cooperadores

> Quem é Apolo? E quem é Paulo? Servos por meio de quem crestes, e isto conforme o Senhor concedeu a cada um. Eu plantei, Apolo regou; mas o crescimento veio de Deus. De modo que nem o que planta é alguma coisa, nem o que rega, mas Deus, que dá o crescimento. Ora, o que planta e o que rega são um; e cada um receberá o seu galardão, segundo o seu próprio trabalho. Porque de Deus somos cooperadores; lavoura de Deus, edifício de Deus sois vós (1 Co 3.5-9).

O *status* comum deles como trabalhadores de Deus tanto dignificava quanto humilhava. Eles trabalhavam com Deus em sua grande obra no mundo; mas, apesar disso, não eram nada, porque é Deus quem dá o crescimento.

Ministros
Paulo também usou a linguagem de "ministros" para se referir aos cooperadores que labutavam com ele e agiam em seu favor. Paulo e Apolo eram, ambos, cooperadores; mas eram também "servos" (ou ministros – *diakonoi*, no grego), pois cada um havia sido designado ao seu ministério pelo Senhor (1 Co 3.5). Posteriormente, em sua carta aos coríntios, a família de Estéfanas é descrita em termos semelhantes:

> E agora, irmãos, eu vos peço o seguinte (sabeis que a casa de Estéfanas são as primícias da Acaia e que se consagraram ao serviço dos santos): que também vos sujeiteis a esses tais, como também a todo aquele que é cooperador e obreiro. Alegro-me com a vinda de Estéfanas, e de Fortunato, e de Acaico; porque estes supriram o que da vossa parte faltava. Porque trouxeram refrigério ao meu espírito e ao vosso. Reconhecei, pois, a homens como estes (1 Co 16.15-18).

Este é um quadro agradável do trabalho e encorajamento mútuo. Estes primeiros convertidos não somente se uniram a Paulo em labutar pelo evangelho; também viajaram para se encontrar com Paulo em benefício dos coríntios e levar refrigério ao espírito de Paulo.

Em Colossenses, encontramos Epafras, o "amado conservo" de Paulo e "fiel ministro de Cristo". Epafras fora um dos que ensinara originalmente a mensagem do evangelho aos colossenses e, nessa ocasião, lutava em oração a favor deles (Cl 1.7; 4.12). Este é o mesmo evangelho do qual Paulo se tornara "ministro" (Cl 1.23).

Poderíamos prosseguir. Há Tíquico, o fiel *diakonos* no Senhor (Ef 6.21; Cl 4.7), e Arquipo, que foi exortado: "Atenta para o ministério que recebeste no Senhor, para o cumprires" (Cl 4.17), sem mencionar Timóteo, que foi encarregado do ministério do evangelho (1 Tm 1.18) e exortado a ser um bom ministro de Cristo, por dedicar-se constantemente a pregar e a ensinar (1 Tm 4.6, 13), mesmo quando isso fosse impopular (2 Tm 4.1-5).

Dois temas emergem quando consideramos o ministério dos cooperadores de Paulo. Primeiramente, embora eles fossem, às vezes, os "ministros de Paulo" – ou seja, enviados que agiam em favor de Paulo entre ele mesmo e as igrejas – eram também ministros de Cristo. Estavam fazendo a obra e o mandado do Senhor e não de Paulo. Em segundo, o ministério que eles realizavam não era apenas qualquer serviço ou ajuda, mas um serviço que estava relacionado com a propagação da Palavra e a edificação da igreja.

Implicações

Não devemos nos surpreender com o fato de que Paulo reuniu uma equipe ao redor de si para a causa do evangelho. Se nada o tivesse compelido, a sua eclesiologia o teria levado a fazer isso. Paulo valorizava os diferentes dons da graça outorgados pelo Espírito Santo para a edificação do corpo de Cristo e, de acordo com isso, trabalhou ao lado de muitos associados numa diversidade de funções: pregadores, escrivães, mensageiros e guerreiros de oração. Inevitavelmente, alguns dos colegas de trabalho de Paulo eram mais íntimos e mais permanentes do que outros, mas ele tratava a todos como irmãos e cooperadores. Paulo não tinha nenhum discípulo, pois há um único Mestre. Mulheres também foram envolvidas integralmente na equipe de Paulo, hospedando igrejas em sua casa, provendo proteção (como Febe, em Romanos 16.1.-2) e contendendo ao lado dele pelo avanço do evangelho.

Em face disto, precisaríamos de boas razões para não adotarmos a metodologia de equipe ministerial de Paulo. Teologicamente, ela é uma expressão do caráter da igreja como um corpo que tem muitas partes. No aspecto prático e estratégico, ela provê apoio, refrigério, um compartilhamento de fardo e uma multiplicação de obra evangélica eficiente.

É claro que grande parte da missão de Paulo era itinerante, e muitos de seus colegas de trabalho estavam envolvidos em seu ministério de evangelização e plantação de igrejas. Aqui, também, o padrão parece ser pluralidade e não singularidade, quer seja uma equipe de presbíteros/supervisores trabalhando em uma congregação, quer seja um colegiado de presbíteros associados a um conjunto de igrejas nos lares.

É difícil evitarmos a conclusão de que tanto a missão itinerante quanto a obra congregacional local eram operações de equipe. Todavia, de algum modo, esta visão se perdeu em muitas igrejas, até naquelas cuja história e tradição enfatizam a pluralidade de presbíteros. Com o passar do tempo, o modelo de um único pastor ordenado ministrando sozinho para pastorear uma igreja se tornou a norma, embora seja admiravelmente diferente do padrão normal de ministério no Novo Testamento.

Antes de sermos distraídos por debates antigos sobre governo e administração da igreja, isso não é um assunto que abordamos aqui. Há abundância de párocos anglicanos que formam equipes fortes para o ministério, assim como há muitos ministros presbiterianos que labutam quase sozinhos – e vice-versa.

Em outras palavras, precisamos de pessoas como Don, Sarah e Barry (da ilustração), pessoas genuinamente convertidas que tenham maturidade cristã e possam ser treinadas para trabalhar conosco em evangelização, acompanhamento, crescimento e treinamento de outros. Cooperadores podem ser envolvidos em muitas atividades, tanto em fazê-las quanto em treinar e encorajar outros a fazerem-nas:

- evangelização pessoal e treinamento de outros para compartilharem o evangelho.
- liderar pequenos grupos e supervisionar uma rede de pequenos grupos.
- acompanhar novos crentes e treinar outros a acompanharem novos crentes.
- liderar grupos de jovens e treinar a próxima geração de líderes jovens.
- reunirem-se uns com os outros, com homens e mulheres, e treinar outros a fazer isso.

Alguns destes cooperadores podem acabar sendo pagos pela congregação para trabalhar nestes ministérios – ou de tempo integral, ou de tempo parcial. Alguns podem ser reconhecidos oficialmente em estruturas congregacionais (por ser um "presbítero", por exemplo); outros podem não ser. Alguns podem ser reconhecidos oficialmente por sua denominação (isto é, serem ordenados); a grande maioria não o será.

Independentemente das estruturas, títulos e reconhecimento, o princípio é o mesmo: a melhor maneira de edificar uma congregação cheia de discípulos que fazem discípulos é reunir e treinar um grupo de cooperadores para trabalhar com você. Quando é apenas você mesmo, e

Multiplicando o crescimento do evangelho, através do treinamento de cooperadores

há 120 ou mais pessoas que precisam ser evangelizadas, acompanhadas, alimentadas e treinadas, conseguir isso é impossível – especialmente por causa de todas as estruturas, reuniões, comissões, programas e atividades que a vida da igreja parece gerar.

No entanto, se você começasse por separar apenas dez potenciais cooperadores, reunir-se com eles regularmente, treiná-los e estimulá-los quanto às possibilidades para o ministério juntos? Você poderia não fazer nada mais durante um ano, senão reunir-se com seus cooperadores em seu gabinete pastoral, cada semana, para orar pela congregação, estudar as Escrituras, discutir teologia, confessar pecados uns aos outros e treiná-los em diferentes aspectos do ministério. Mas, ao final desse ano, você teria uma equipe de parceiros do evangelho, unida e de mesmo pensamento, pronta e capaz de trabalhar com você no ministério.

Bruce Hall tem feito algo semelhante a isto por anos na Igreja Saint Paul, em Carlingford, ao noroeste de Sydney. Eis como ele explica suas reuniões regulares com seus cooperadores:

> Igrejas não fazem discípulos; discípulos fazem discípulos (Mt 28.19-20). O princípio que eu sigo com meus trabalhadores leigos é: se não temos o mesmo entendimento nas coisas espirituais, não temos o mesmo entendimento no ministério. Portanto:
>
> 1. Escolho homens que se reúnam comigo semanalmente das 6h30 às 7h30 da manhã.
> 2. Costumava fazer isso às terças, quartas e quintas; hoje, faço apenas às terças-feiras.
> 3. Gastamos 15 minutos juntos, conversando, atualizando-nos. Lidero a reunião por uma hora e meia; apenas lemos uma seção da Bíblia, comentamos e evocamos comentários e aplicações para nós; depois, temos 15 minutos de oração. A passagem bíblica que lemos é irrelevante.

4. Sempre nos focalizamos em onde estamos em nosso testemunho e, ocasionalmente, apenas oramos (e não lemos as Escrituras).
5. Sempre tenho meus diretores (presbíteros) no grupo, e temos cerca de oito a dez indivíduos em cada grupo.

Consequências:
1. A maioria daqueles que estão na administração (diretores e conselheiros paroquiais) têm estado nesses grupos comigo.
2. A maioria dos outros ministros congregacionais que formam a equipe de administração da igreja conduz grupos semelhantes. Consequentemente, a maioria dos líderes de grupos nos lares e outros líderes têm estado nesses grupos de "café da manhã".
3. Homens no grupo me veem com todas as minhas virtudes e fraquezas, me ouvem orando, me veem lendo a Bíblia e ouvem minhas paixões e perspectivas teológicas.
4. Raramente temos questões de "relacionamento" ao argumentarmos sobre os negócios da igreja ou direções futuras, porque nos reunimos para orar juntos nas manhãs.
5. Os ministérios em que eles estão envolvidos são pastorados leigos (ao lado do ministério congregacional), liderança de grupos nos lares, diretores, conselho paroquial e quase tudo mais.

COMO SELECIONAR COOPERADORES

Em um sentido, o critério para selecionar cooperadores é óbvio. Cooperadores precisam ser pessoas que têm um coração para Deus e uma fome por aprender e crescer. Precisam ser genuinamente convertidos, crentes maduros que estão em condição favorável na vida cristã e têm fidelidade e potencial para ministrar aos outros. É o que prescreve 2 Timóteo 2.2: "O que de minha parte ouviste através de muitas testemunhas, isso mesmo transmite a homens fiéis e também idôneos para instruir a outros".

No entanto, é fácil cometer erros quando recrutamos cooperadores. Eis alguns descuidos a evitar:

- **Comprometer crenças e valores essenciais:** você tem uma pessoa em sua congregação que tem sido cristão por algum tempo, é fervorosa e sincera, tem dons e capacidades evidentes, mas pensa de modo diferente em algumas áreas importantes da teologia. Ela tem, por exemplo, um entendimento carismático da obra do Espírito ou uma visão mais liberal da autoridade da Escritura. Escolher esse tipo de pessoa como cooperador quase garante divisão e prejuízo ao ministério. Um cooperador tem de ser alguém totalmente confiável em manejar de modo correto a Palavra da verdade. Você deve ser capaz de confiar nele para ensinar os outros.
- **Impressionar-se com aparência acima de conteúdo:** é muito fácil ser confundido pela pessoa entusiasta que têm personalidade expansiva, habilidades bem visíveis e carisma para liderar pessoas. Todavia, é muito mais importante procurar alguém que ama realmente a Cristo e lhe obedece, que ama uma vida piedosa e disciplinada, cuja família é exemplar e tem um coração de servo.
- **Ignorar o histórico da pessoa:** a pessoa serve quando não tem uma posição formal? Os outros a respeitam como discípulo piedoso de Cristo? Se não é um servo de coração agora, estará pronta para liderar os outros?
- **Escolher aqueles que não são bons em relacionarem-se com pessoas:** a pessoa que você está considerando é socialmente difícil, ou dominante, ou irritadiça? Coloca os outros em risco? Tem senso de humor? O ministério cristão é inevitavelmente relacional, e algumas pessoas não são bem dotadas relacionalmente.
- **Recrutar em desespero:** o fardo do ministério é, às vezes, tão pesado, que você será tentado a recrutar *qualquer pessoa* como cooperador, apenas para aliviar a carga. Isto é um grande erro. É

muito melhor manter sua equipe pequena, restrita, unificada e eficiente do que incluir pessoas que não estão preparadas.

- **Selecionar pessoas não ensináveis:** algumas pessoas são dogmáticas e irrealistas e não estão dispostas a pensar e crescer. Você precisa de pessoas que têm fome da verdade, tremem da Palavra de Deus e querem conformar suas vidas às Escrituras.
- **Escolher apoiadores conformistas:** é sempre tentador recrutarmos pessoas que nos admiram e nos apoiam, pessoas que nos fazem sentir-nos bem porque sempre parecem estar do nosso lado. Mas elas podem não ser as pessoas certas.
- **Convocar voluntários:** recrutar cooperadores não é como pedir que algumas pessoas fiquem depois da reunião e empilhem as cadeiras. É algo que deve ser feito por convite pessoal, depois de reflexão e oração cuidadosas.

Isto é o suficiente quanto ao que não devemos fazer.

SUGESTÕES PARA TREINAMENTO DE COOPERADORES

Uma vez que tenhamos escolhido algumas pessoas e estejamos nos reunindo com elas – individualmente ou em grupo – como lhes apresentamos a tarefa? Nós as estamos convidando para fazer o quê?

No nível mais básico, nós as estamos convidando para dedicar sua vida ao serviço de Cristo. Em outras palavras, estamos simplesmente convidando-as a serem discípulos. Não devemos baratear isto! Não estamos pedindo às pessoas que contribuam para um clube do qual elas fazem parte – como se tentássemos achar alguém para ser o secretário do clube de rúgbi júnior local para este ano. Estamos convidando pessoas a se unirem conosco na obra mais importante do mundo – a obra que Deus está fazendo para reunir pessoas em seu reino, por meio da proclamação dedicada do evangelho de seu Filho. Portanto, estamos recrutando pessoas para fazerem parte de uma causa digna de dedicarem sua vida a ela. E devemos colocar esta visão diante de nossos potenciais cooperadores, em toda a sua glória e grandeza.

Mas, apesar disso, é também importante que definamos os alvos e objetivos específicos pelo quais trabalharemos nos próximos 12 meses. A visão pode ser tão grande quanto o céu, mas os passos que daremos no caminho à nossa frente precisam ser visíveis e atingíveis.

Isto significa dar às pessoas um entendimento claro de qual será o tempo de compromisso, que preparação estará envolvida, que treinamento elas receberão e que ministérios podem resultar.

Por exemplo, você pode decidir fazer uma reunião de duas horas, a cada quinze dias, com uma equipe de seis pessoas de sua congregação as quais você acha que têm o potencial de serem cooperadores. Suas duas horas podem ser estruturadas desta maneira:

Atividade	Tempo
Estudo bíblico: liderado por você ou por um dos membros da equipe; você pode usar este tempo para treinar pessoas em como liderar discussões bíblicas em um grupo, tanto por ser você mesmo o modelo quanto por, depois, dar aos outros uma oportunidade.	30 minutos
Oração: ore em resposta à mensagem da Bíblia e por diferentes aspectos do ministério.	10 minutos
Trabalho de pessoas: fale sobre as necessidades pastorais e situações específicas de pessoas na congregação – pessoas às quais a equipe está ministrando ou poderia ministrar. Princípios de confidencialidade precisam ser aceitos e respeitados, mas falarem juntos sobre como ministrar a pessoas reais e ajudá-las a crescer é um aspecto poderoso do treinamento de ministério.	20 minutos
Oração: ore nominalmente por pessoas específicas de sua congregação.	15 minutos
Atividades de revisão do ministério: fale sobre diferentes programas ou eventos, tal como a última reunião da igreja no domingo. Foram eficazes? Por que sim ou por que não? O que poderia ser melhorado e como? Isto não somente leva a aprimoramentos, mas também treina a equipe em como pensar sobre o ministério.	15 minutos
Conteúdo do treinamento: treine especificamente em convicção, caráter e competência. Isto poderia ser uma sessão sobre um assunto teológico (e.g., a importância teológica da ressurreição), ou uma discussão de algum aspecto do caráter santo (e.g., como somos tentados pela cobiça), ou o ensino de uma habilidade específica (e.g., como liderar um grupo pequeno ou como ler a Bíblia com alguém, um a um).	30 minutos

Com um grupo como este, você pode definir as seguintes expectativas para o ano:

- participar de toda reunião da equipe no decorrer do ano.
- uma tarefa de casa ou preparação de uma hora relacionada a cada reunião.
- disposição para começar a se reunir, um a um, com pelo menos uma pessoa na segunda metade do ano.

Você pode também expor diante de cada membro do grupo uma visão do que espera atingir em convicção, caráter e competência. Por exemplo,

- **convicção** – um entendimento profundo da cruz de Cristo, da Trindade e do propósito da igreja.
- **caráter** – estabelecer (ou restabelecer) uma disciplina rigorosa de oração e leitura da Bíblia.
- **competência** – treinar cada pessoa em como se reunir individualmente com outra pessoa para ler a Bíblia.

Estes são apenas exemplos breves que ilustram o que esperamos seja um princípio autoevidente – isto é, que estamos chamando pessoas a trabalhar conosco no ministério. Depois, precisamos incentivá-las e entusiasmá-las quanto à magnitude do que estamos realizando (fazendo discípulos para Cristo) e estabelecer alvos claros, realistas e atingíveis, bem como expectativas quanto ao treinamento deles.

COOPERADORES, TRABALHADORES DE VIDEIRA E O PANORAMA MAIOR

Vamos resumir o que já consideramos.

Multiplicando o crescimento do evangelho, através do treinamento de cooperadores

1. O que Deus está fazendo no mundo? Deus está chamando um povo para o seu reino, por meio da pregação do evangelho guiada pelo Espírito. Ele está realizando um grande crescimento mundial da videira, que é Cristo e as pessoas unidas a ele.
2. Todo aquele que, pela graça de Deus, se torna discípulo de Cristo é não somente parte da videira, mas também um trabalhador de videira, um fazedor de discípulos, um parceiro no evangelho. Embora alguns cristãos tenham dons e responsabilidades específicas para ensinar e supervisionar, todos os cristãos têm um papel de falar a Palavra da verdade uns aos outros e aos de fora.
3. O treinamento é o processo de crescimento em direção à maturidade de cristãos trabalhadores da videira – ou seja, os cristãos que são maduros procuram oportunidades para servir aos outros por falar-lhes diligentemente a Palavra da verdade. Este é o nosso alvo na obra com pessoas. Envolve não somente habilidades e competências de ministério, mas também crescimento em convicções (entendimento) e caráter (piedade). Este é um aspecto fundamental da vida da igreja e pode envolver uma mudança no que pensamos sobre a igreja (especialmente no que diz respeito à nossa dependência de sermões como único meio de crescimento).
4. O treinamento (entendido desta maneira) é o motor do crescimento evangélico. Pessoas deixam de ser incrédulos e não convertidos, são acompanhadas como novos cristãos e, depois, crescem para serem cristãos maduros e estáveis que, depois, por sua vez, são treinados e mobilizados a liderar outros por meio do processo de "crescimento evangélico".
5. Recrutar e treinar um grupo menor de cooperadores é o primeiro passo em direção a recrutar e treinar todos os cristãos como trabalhadores de videira. Você não pode ministrar a 130 pessoas e treiná-las pessoalmente. Mas pode começar com dez, e esses dez podem trabalhar ao seu

lado – não somente para ministrarem pessoalmente aos outros, mas também para *treinarem* outros, que, por sua vez, ministrarão a outros. Em outras palavras, os "cooperadores" não são uma categoria diferente de pessoas – são apenas um grupo de potenciais "trabalhadores de videira" dotados, que trabalham ao seu lado para que as coisas prossigam. É o ministério de multiplicação por meio de treinamento pessoal, bem como uma das grandes necessidades da igreja contemporânea.

Digamos que temos um grande número de pessoas às quais precisamos ministrar, indo desde contatos não cristãos até novos crentes e crentes que necessitam de ajuda. Queremos que todos eles façam progresso, cresçam no evangelho. Queremos que todos eles atinjam o ponto em que sejam discípulos fazedores de discípulos (ou "trabalhadores de videira"). Em muitas igrejas, o número de "fazedores de discípulos" é muito pequeno. Pode ser apenas o pastor e seu auxiliar, e mais dois leigos habilidosos. Portanto, a situação talvez se pareça com isto:

FIGURA 1

Evangelização → Acompanhamento → Crescimento

Pastor/pastores

O caminho para o crescimento – e não apenas o crescimento numérico, mas o crescimento real, espiritual e "evangélico" – é começar a treinar pessoas como fazedores de discípulos; selecionar alguns dos cristãos maduros e estimulá-los com a visão de fazerem discípulos; selecionar o que neste capítulo temos chamado de "cooperadores". Assim, a situação começa a se parecer com isto:

FIGURA 2

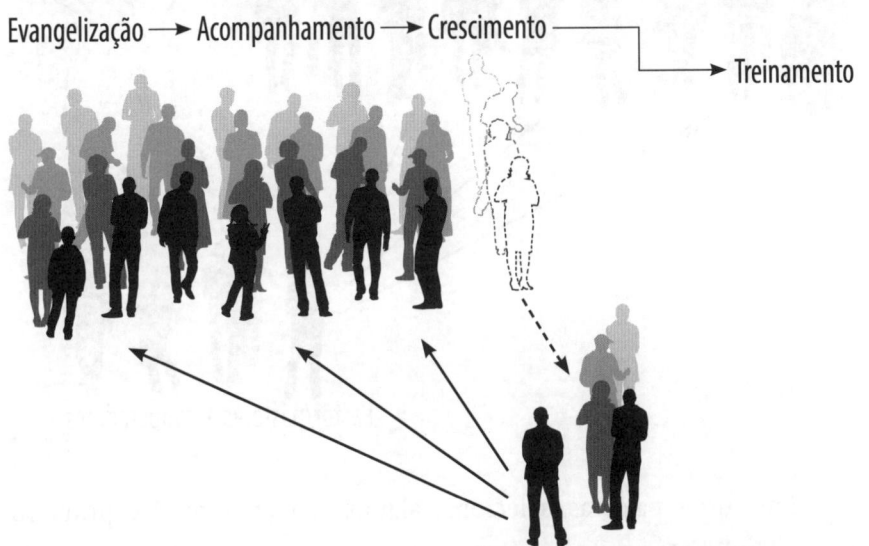

Evangelização → Acompanhamento → Crescimento → Treinamento

Pastor/pastores + cooperadores

Agora, você como pastor não está fazendo todo o ministério. Está treinando outros para trabalharem com você, começando apenas com poucos. Entretanto, o alvo é, no decorrer do tempo, "converter" todos os discípulos em fazedores de discípulos, treinar todos os cristãos como trabalhadores de videira – pessoas de convicção, caráter e competência para ministrar aos outros. Assim, o número de trabalhadores cresce, e a quantidade de ministérios cresce, à medida que mais e mais pessoas começam a falar dedicadamente a mensagem da Bíblia aos outros, em miríades de maneiras diferentes – formal e informal, grande e pequena, no lar, no trabalho, na igreja, em grupos pequenos e um a um.

A situação se parece mais com isto:

FIGURA 3

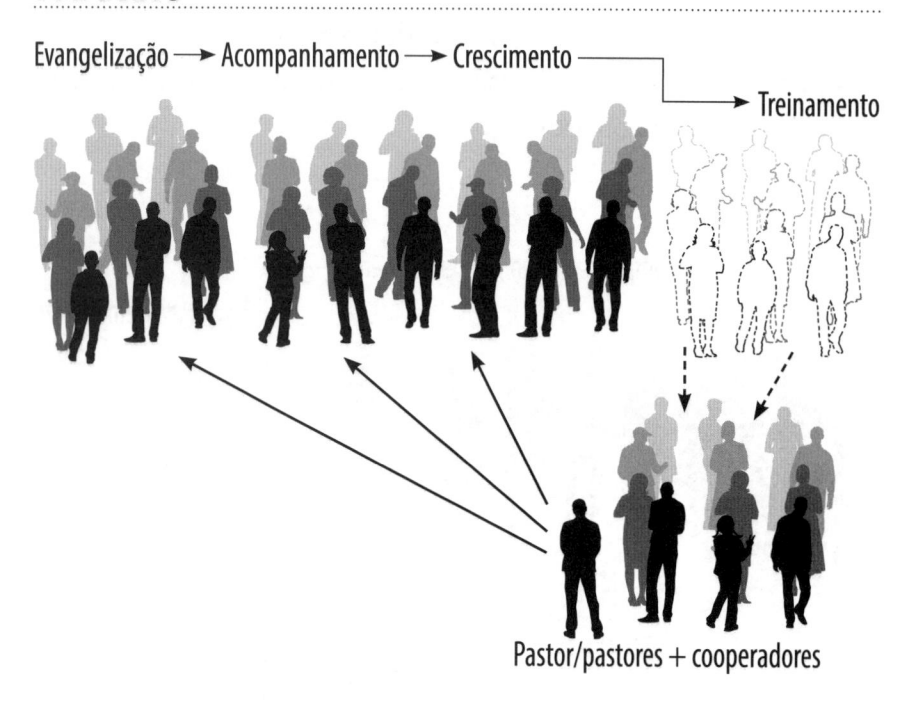

Evangelização → Acompanhamento → Crescimento → Treinamento

Pastor/pastores + cooperadores

Em outras palavras, selecionar alguns cooperadores é o primeiro passo em direção a criar uma comunhão crescente de trabalhadores de todos os tipos diferentes. Alguns deles trabalharão bem perto de você e chegarão ao ponto em que se tornarão treinadores. Não somente farão a obra, mas também liderarão e treinarão outros trabalhadores de videira.

Não queremos ser muito ordeiros e meticulosos nisto – como se pessoas começassem a usar insígnias e uniformes de acordo com o que são: "cristãos firmes", "trabalhadores de videira regulares", "cooperadores" ou "pastores". O ministério é sempre desordenado, porque envolve pessoas reais. Algumas pessoas que você escolher como cooperadores acabarão desistindo ou não realizando seu potencial. Outros com os quais você não começou a trabalhar originalmente aparecerão e logo se tornarão parte do núcleo da equipe. Com o passar do tempo, a distinção entre "cooperador" e "trabalhador de videira" se tornará muito ofuscada, porque você estará treinando uma porcentagem sempre crescente de cristãos estáveis de sua congregação para serem trabalhadores de videira. E, à medida que mais e mais cristãos são treinados para ministrar aos outros, o número e a variedade de ministérios ficarão caóticos rapidamente. Pessoas começarão coisas, tomarão iniciativas, se reunirão com pessoas, terão novas ideias. Crescimento é assim. Cria um tipo de caos, como uma videira que cresce constantemente na treliça por soltar gavinhas em todas as direções.

Há um aspecto deste crescimento que ainda não consideramos. Na Figura 3 (apresentada antes), vemos que mais e mais pessoas são beneficiadas pelo ministério de outras, porque mais pessoas são treinadas como trabalhadores de videira. No entanto, ainda há apenas um pastor liderando toda a obra e mantendo-a unida. Se, pela graça de Deus, tudo continuar crescendo, precisaremos de mais pastores, mais supervisores e mais líderes.

De onde eles virão?

Capítulo 10

PESSOAS QUE VALE A PENA OBSERVARMOS

De onde vêm pastores e outros "trabalhadores do evangelho reconhecidos"?

A resposta tradicional – aliás, uma resposta muito boa – é que eles são chamados e levantados por Deus. Jesus instruiu seus discípulos a rogarem "ao Senhor da seara que mande trabalhadores para a sua seara" (Lc 10.2). Evangelistas, pastores e mestres são os dons do Cristo entronizado à sua igreja (Ef 4.10-12).

No entanto, dizer que Deus provê pastores não nos ajuda muito a saber que parte a ação humana cumpre no processo. Poderíamos dizer, por exemplo, que pessoas se tornam cristãos somente porque Deus age em seus corações, mas isto não significa que evangelização é um desperdício de tempo. Pelo contrário, é precisamente por meio da evangelização diligente que Deus converte graciosamente pessoas e as conduz ao novo nascimento.

A ação de Deus e a ação humana não são alternativas, como decidir entre quem realizará a ação de lavar a louça hoje à noite. Ele é o Criador, e seu modo de operação característico é agir em e por meio de suas criaturas para cumprir seus propósitos. "Eu plantei", disse Paulo, "Apolo regou; mas o crescimento veio de Deus" (1 Co 3.6).

Portanto, a nossa pergunta seria melhor formulada desta maneira: por quais meios ou por qual instrumento Deus chama e levanta a próxima geração de pastores e evangelistas?

Neste capítulo, queremos sugerir que é por meio de pastores que recrutam ativamente pessoas adequadas dentro de suas igrejas e as desafiam a gastar sua vida em favor da obra do evangelho. É por meio de fazermos o que Paulo recomendou que Timóteo fizesse: "E o que de minha parte ouviste através de muitas testemunhas, isso mesmo transmite a homens fiéis e também idôneos para instruir a outros" (2 Tm 2.2). Comentando esta passagem, Broughton Knox disse:

> Devemos lembrar que é dever dos ministros na congregação cuidar do bem-estar espiritual da congregação, e uma das principais áreas de cuidado é a continuação do ministério da Palavra de Deus dentro da congregação. Assim Paulo lembrou a Timóteo que, incluído no âmbito de seu dever ministerial, estava o cuidar para que o ministério da Palavra de Deus fosse continuado efetivamente. Assim como recebera a verdade das mãos de Paulo e de seus amigos, ele deveria passá-la a homens fiéis que também seriam capazes de instruir a outros (2 Tm 2.2) – quatro gerações de sucessão apostólica no mundo apostólico.[1]

Em muitos contextos de nossos dias, esta tarefa de criar a próxima geração é deixada a "alguém de fora". É o trabalho da denominação ou do

---
1 D. B. Knox, *Sent by Jesus: Some Aspects of Christian Ministry Today* (Edinburgh: Banner of Truth, 1992), p. 14.

seminário. Ou talvez deixemos com Deus o colocar a ideia no coração de pessoas sem qualquer intervenção externa.

Não importando a razão que tenhamos, a maioria de nós é relutante em desafiar pessoas à obra de tempo integral no evangelho. Antes de prosseguir, devemos abordar algumas perguntas ou objeções comuns à ideia de "recrutamento para o ministério".

QUATRO PERGUNTAS COMUNS

Pergunta 1: todos os crentes são chamados a servir, por que, então, deveriam alguns serem chamados ao "ministério"?

Um dos nossos problemas é a palavra "chamar". Estamos acostumados a pensar na "chamada ao ministério" como um tipo de experiência mística e individual, pela qual as pessoas ficam convictas de que Deus deseja que elas entrem no pastorado.

No entanto, quando vamos ao Novo Testamento, descobrimos que a linguagem de "chamar" não é usada desta maneira. É quase sempre usada para descrever como Deus "chama" ou convoca graciosamente pessoas a segui-lo ou a se arrependerem, com todos os privilégios e responsabilidades que isto envolve. Eis uma seleção de versículos que retratam isto:

> Sabemos que todas as coisas cooperam para o bem daqueles que amam a Deus, daqueles que são **chamados** segundo o seu propósito. Porquanto aos que de antemão conheceu, também os predestinou para serem conformes à imagem de seu Filho, a fim de que ele seja o primogênito entre muitos irmãos. E aos que predestinou, a esses também **chamou**; e aos que **chamou**, a esses também justificou; e aos que justificou, a esses também glorificou (Rm 8.28-30).

> ...que nos salvou e nos **chamou** com santa vocação; não segundo as nossas obras, mas conforme a sua própria determinação e graça que nos foi dada em Cristo Jesus, antes dos tempos eternos... (2 Tm 1.9).

...iluminados os olhos do vosso coração, para saberdes qual é a esperança do seu **chamamento**, qual a riqueza da glória da sua herança nos santos... (Ef 1.18).

...prossigo para o alvo, para o prêmio da soberana **vocação** de Deus em Cristo Jesus (Fp 3.14).

Fiel é Deus, pelo qual fostes **chamados** à comunhão de seu Filho Jesus Cristo, nosso Senhor (1 Co 1.9).

Vós, porém, sois raça eleita, sacerdócio real, nação santa, povo de propriedade exclusiva de Deus, a fim de proclamardes as virtudes daquele que vos **chamou** das trevas para a sua maravilhosa luz (1 Pe 2.9).

Rogo-vos, pois, eu, o prisioneiro no Senhor, que andeis de modo digno da **vocação** a que fostes **chamados** (Ef 4.1).

Seja a paz de Cristo o árbitro em vosso coração, à qual, também, fostes **chamados** em um só corpo; e sede agradecidos (Cl 3.15).

Por isso, também não cessamos de orar por vós, para que o nosso Deus vos torne dignos da sua **vocação** e cumpra com poder todo propósito de bondade e obra de fé (2 Ts 1.11).

A Bíblia não fala de pessoas sendo "chamadas" para serem um médico, um advogado, um missionário ou um pastor. Deus nos chama para si mesmo, para sermos cristãos. Nossa "vocação" (que vem da palavra latina "chamar") é sermos discípulos de Cristo e obedecer a tudo que ele ordenou – incluindo o mandamento de fazer discípulos de todas as nações.

Neste sentido, todos os cristãos são "ministros", chamados e comissionados por Deus a dedicar suas vidas ao serviço dele, a andar diante dele em santidade e retidão e a falar a verdade em amor onde e como puderem.

No entanto, embora tenhamos enfatizado neste livro "o ministério dos muitos", não é conveniente banirmos o "ministério dos poucos", mas criar condições sob as quais ele, também, florescerá. Quando treinamos discípulos para serem fazedores de discípulos, também descobrimos inevitavelmente algumas pessoas dotadas que têm o potencial para serem líderes de ministério – receberem o privilégio, a responsabilidade e o encargo de serem separados para pregar o evangelho e liderar o povo de Deus.

No Novo Testamento, as duas principais categorias destas pessoas "separadas" são os presbíteros/pastores/bispos, encarregados de ensinar e liderar congregações, e os membros da equipe apostólica de Paulo, os "cooperadores" e "ministros", que labutaram para propagar o evangelho. Estas categorias não são estritas e invariáveis, como se os pastores não devessem também evangelizar (cf. 2 Tm 4.5, onde Paulo instruiu a Timóteo: "Faze o trabalho de um evangelista") ou como se Paulo, o evangelista, não tivesse labutado para edificar os cristãos que se haviam convertido sob o ministério dele. Em última análise, a distinção entre "evangelizar" e "pastorear" é imprecisa.

Isto é, na verdade, um de nossos problemas quando pensamos e falamos sobre toda esta questão. Tudo parece tão indistinto! E o padrão ocidental de ter um profissional ou um clérigo pago nem sempre corresponde. Esforçamo-nos por falar na linguagem da Bíblia não somente por causa da maneira frequentemente confusa e incoerente como a linguagem foi usada na história cristã, mas também porque a própria Bíblia não se preocupa em expor uma linguagem precisa. Considere estas distinções:

- Todos os cristãos devem ensinar uns aos outros (Cl 3.16), mas nem todos são mestres (1 Co 12.29; Tg 3.1).

- Todos os cristãos devem ministrar uns aos outros (1 Pe 4.10-11), mas alguns são separados como "ministros" (ou "diáconos" ou "servos", dependendo de nossa tradução, em 1 Tm 3.8-13; considere também os membros da equipe de Paulo, os quais ele chamou "ministros").
- Todos os cristãos devem ser abundantes na obra do Senhor (1 Co 15.58), mas Paulo considerou a si mesmo e a Apolo como "cooperadores" que labutaram entre os coríntios tendo em vista o seu crescimento (1 Co 3.5-9).
- Todos os cristãos devem fazer discípulos e falar aos outros sobre Cristo (Mt 28.19; 1 Pe 3.15), mas alguns são identificados como "evangelistas" (Ef 4.11).

Há tanto continuidade quanto descontinuidade. Todos nós estamos juntos no ministério, mas alguns têm papel especial. Quando tentamos discernir o que é que torna esse papel especial no Novo Testamento, não é tempo integral versus tempo parcial, nem ministério pago versus ministério não pago. (Esta é uma realidade que pastores no mundo desenvolvido entendem muito bem.) O fator de discernimento não é que alguns pertencem a uma classe sacerdotal especial e outros não. Nem que alguns são dotados e outros não, porque todos têm dons que contribuem para a edificação da congregação de Cristo.

A coisa mais importante parece ser que alguns são separados, ou reconhecidos, ou escolhidos – e *encarregados*, sob o governo de Deus, com a responsabilidade por ministérios específicos. Este encargo acontece por meio do processo humano de deliberação e decisão, mas continua sendo um encargo divino solene, uma mordomia do evangelho pela qual somos responsáveis para com Deus (cf. 1 Co 4.1-5). Não é uma "decisão de carreira" que pessoas fazem casualmente por si mesmas e, depois, resolvem, também de modo casual, abandonar para assumirem outra coisa qualquer, talvez quando o encargo fica difícil ou inconveniente. Vale a pena notarmos a seriedade com a qual Paulo exortou Timóteo a ser leal ao seu ministério, em 1 Timóteo 4.

Talvez, por motivo de clareza e conveniência, devemos chamar estas pessoas de "trabalhadores do evangelho reconhecidos" – reconhecidos não porque são mais espirituais ou mais íntimos de Deus ou porque têm poderes especiais, mas reconhecidos e escolhidos pelos outros presbíteros e líderes para cumprirem um papel especial de administração, como o capitão de uma equipe esportiva ou o conselho de diretores de uma empresa.

Isto nos leva a uma segunda pergunta óbvia.

Pergunta 2: não devemos esperar que pessoas se sintam "chamadas", em vez de exortá-las a que entrem na obra do evangelho de tempo integral?

Tornou-se tradicional o sentido subjetivo e pessoal de "chamada" ser o fator determinante para que pessoas se ofereçam para o ministério cristão de tempo integral. Talvez isso se deva ao anseio por um chamamento pessoal dramático como o que foi experimentado por Moisés, na sarça ardente, ou por Elias, no templo; ou talvez se origine de um desejo por apoiar a decisão de seguir para o ministério em algo fora de nós mesmos, na chamada de Deus. Não importando a razão, é comum esperarmos que alguém nos diga que "se sentiu chamado ao ministério" ou "acho que Deus está me chamando para o ministério", antes de começarmos a avaliar a sua conveniência.

A Bíblia não fala nestes termos. Por mais que examinemos, não achamos na Bíblia nenhum exemplo ou conceito de chamada interior para o ministério. Há alguns que foram chamados direta e dramaticamente por Deus (como Moisés e Elias), mas isso não é uma questão de discernirmos um sentimento interior.

Quase em todo o Novo Testamento, o reconhecimento ou a separação de trabalhadores do evangelho é feito por outros presbíteros, líderes e pastores. Assim como Timóteo foi comissionado, de alguma maneira, pelos presbíteros (1 Tm 4.14), assim também ele deveria confiar o evangelho a outros líderes fiéis que poderiam continuar a obra (2 Tm 2.2). De modo semelhante, Paulo deu a Tito a responsabilidade pelo ministério em Creta, e Tito, por sua vez, deveria instituir presbíteros/bispos em cada cidade (Tt 1.5-9).

Talvez seja correto neste sentido falar de pessoas serem "chamadas" por Deus para ministérios ou responsabilidades específicos – contanto que reconheçamos que esta "chamada" é mediada pela agência humana de ministros reconhecidos já existentes. Lutero disse sobre isso:

> Deus chama de duas maneiras, por meios ou sem meios. Hoje ele chama todos ao ministério da Palavra por meio de uma chamada mediada, ou seja, uma chamada que vem por meios humanos. Mas os apóstolos foram chamados diretamente pelo próprio Cristo, como os profetas no Antigo Testamento haviam sido chamados por Deus mesmo. Depois, os apóstolos chamaram seus discípulos, como Paulo chamou Timóteo, Tito, etc. Estes homens chamaram bispos como em Tito 1.5, ss. E os bispos chamaram seus sucessores até aos nossos tempos e, assim por diante, até ao fim do mundo. Esta é a chamada mediada, visto que é feita pelo homem.[2]

Não devemos ficar sentados à espera de que pessoas "se sintam chamadas" à obra do evangelho; assim como não devemos ficar sentados à espera de que pessoas se tornem, por si mesmas, discípulos de Cristo. Devemos ser proativos em procurar, desafiar e testar pessoas para serem separadas para a obra do evangelho.

---

2 Martin Luther, *Luther Works*, American ed., vol. 26, *Lectures on Galatians*, ed. J. Pelikan (St. Louis: Concordia, 1963 (1535), p. 13-78. Citado em R. Paul Stevens, *The Six Other Days* (Grand Rapids: Eerdmans, 2000), p. 154-5.

Pergunta 3: não podemos nos envolver na "obra do evangelho" sem sermos pagos?

Até esta altura, temos sugerido que pessoas devem ser escolhidas ou comissionadas como trabalhadores do evangelho para a pregação do evangelho e o pastoreio do povo de Deus. Tradicionalmente, queremos falar de pessoas sendo chamadas à obra missionária ou ao ministério ordenado, e, na maioria das igrejas do Ocidente, estes seriam ofícios de tempo integral pagos pelas ofertas do povo de Deus.

No entanto, o método de pagamento e o número de horas trabalhadas por semana não são os fatores definidores. No Novo Testamento, é difícil acharmos exemplos de "ministério de tempo integral pago", exceto talvez Paulo em alguns estágios de sua missão – como em Corinto, onde ele começou a fazer tendas com Áquila e Priscila, mas, depois, "se entregou totalmente à palavra", quando Silas e Timóteo chegaram (talvez com um donativo financeiro dos macedônios – cf. At 18.1-5). Até durante os três anos que Paulo ficou em Éfeso, ensinando diariamente na escola de Tirano e não cessando de admoestar, "noite e dia... com lágrimas, a cada um", Paulo proveu suas próprias necessidades com trabalho pessoal (At 20.31-34; cf. 19.9).

Ao mesmo tempo, a Bíblia afirma realmente que aqueles que pregam o evangelho devem obter sustento da obra do evangelho (1 Co 9.1-12; Gl 6.6). Ainda que comecemos nosso ministério por sustentarmos a nós mesmos, é correto o povo de Deus prover sustento para seus missionários e mestres, pelo menos em parte. Dentro desta estrutura, vários arranjos são possíveis: trabalho e ministério de tempo parcial (como o fazer tendas de Paulo); apoio financeiro de irmãos em Cristo; ministério de tempo integral pago pelos recursos de uma congregação, uma denominação ou uma organização paraeclesiástica e assim por diante. Muito depende dos costumes e da riqueza da sociedade.

Em última análise, isso é frequentemente uma decisão pragmática. Se pudermos ter um ministério de tempo integral com o apoio financeiro de outros, teremos mais tempo para dedicar-nos à oração e à Palavra de Deus. Há um pouco de imaginação associado ao "fazer tendas" que não é compartilhado por aqueles que realmente o fazem. É frustrantemente difícil conciliar a obra exigente de pastorear uma congregação com a rotina diária de trabalho secular. Sempre que possível devemos promover ministérios de tempo integral, porque isso resultará geralmente em mais obra do evangelho sendo realizada.

Broughton Knox disse:

> A consideração do caráter da religião cristã mostra que sempre haverá lugar para ministério de tempo integral da Palavra de Deus. A religião cristã é uma religião de fé em Cristo, o Senhor. A fé se distingue de superstição por ser baseada na verdade e se distingue de imprudência por ser baseada no conhecimento da verdade. Tudo isto depende do ensino verdadeiro, porque não nascemos com um conhecimento da verdade. Além disso, o cristianismo é uma religião de relacionamento pessoal, de comunhão. A comunhão acontece somente por meio de ouvirmos e respondermos a uma palavra falada. Deus se relaciona conosco falando-nos por meio de sua Palavra, e nos relacionamos com ele por respondermos à sua Palavra. Portanto, é evidente que um ministério que transmite e esclarece a verdade sobre Deus e transmite a Palavra de Deus à mente e à consciência do ouvinte é uma característica essencial do cristianismo. Se este ministério desaparece, o cristianismo também desaparece.
>
> Podemos chegar à mesma conclusão partindo de uma abordagem um pouco diferente. Jesus Cristo é o Senhor, mas não pode exercer seu senhorio, nem a mente do cristão responder a este senhorio, se a mente de Cristo não for conhecida e conhecida relevantemente para as circunstâncias do cristão. De novo, isto exige

um ministério de ensino que entende a mente de Cristo e como aplicá-la à circunstância moderna e que acompanha este ensino com exortação e admoestação dirigidas à mente do ouvinte. Um ministério cristão de ensino e pregação é uma ocupação de tempo integral porque o ensino não pode ser realizado sem preparação, e preparação exige tempo. Dedicar-se à preparação e ao estudo da Palavra de Deus e de sua relevância nunca foi tão necessário para o mestre cristão quanto na geração presente.[3]

A afirmação que Knox fez, "Se este ministério desaparece, o cristianismo também desaparece", não é um exagero retórico. É uma simples afirmação da realidade, deduzida por refletir no caráter da Escritura e por observar o que acontece nas igrejas em que este ministério de ensino se perde, por uma razão ou outra.

Pergunta 4: Continuar no trabalho secular diminui as pessoas?
Esta é uma pergunta desafiadora: chamar pessoas ao ministério cria duas classes de cristãos – os dotados e especiais, que aspiram à nobre vocação de ministério de tempo integral, e o resto da plebe, que são consignados a ter um trabalho para darem dinheiro aos especiais? Se alguém não tem os dons ou oportunidades para se engajar na "obra do evangelho reconhecida", está condenado a uma existência de segunda classe? Por darmos o lugar de importância à obra do evangelho de tempo integral, estamos dizendo (ou dando a entender) que todo trabalho secular é humilhante e insignificante?

Estas perguntas surgem sempre que começamos a desafiar pessoas a deixarem carreiras e ambições seculares e dedicarem-se à obra do evangelho. Isso é, em parte, uma incompreensão da natureza do ministério e do

---

[3] D. B. Knox, *D. Broughton Selected Works*, vol. 2, *Church and Ministry*, ed. Kirsten Birkett (Sydney: Matthias Media, 2003), p. 213-214.

papel de todo cristão em fazer discípulos, mas é também, frequentemente, uma incompreensão da natureza do trabalho na Palavra de Deus. Está além do escopo deste capítulo delinear uma teologia bíblica do trabalho, mas o seguinte resumo pode ser proveitoso:

- Trabalhar é uma parte boa e fundamental do ser humano no mundo de Deus. No princípio, a humanidade foi colocada no jardim para trabalhar nele e guardá-lo.
- Neste lado da Queda, o trabalho é amaldiçoado e frustrante (e frequentemente não o sabemos), mas permanece bom, digno e necessário.
- Os cristãos são incentivados fortemente a trabalhar, não apenas por causa do lugar do trabalho na criação, mas também porque o trabalho (como qualquer outra área da vida) é um ambiente onde servimos a Cristo. *Tudo* que você fizer, disse Paulo aos colossenses, "seja em palavra, seja em ação", deve fazê-lo "em nome do Senhor Jesus, dando por ele graças a Deus Pai" (Cl 3.17).
- Num nível profundo, quando trabalhamos em qualquer serviço, trabalhamos para Cristo. Como Paulo também disse em Colossenses 3: "Tudo quanto fizerdes, fazei-o de todo o coração, como para o Senhor e não para homens, cientes de que recebereis do Senhor a recompensa da herança. A Cristo, o Senhor, é que estais servindo" (Cl 3.23-24).
- Como cristãos, não trabalhamos para obter autorrealização, fama ou enaltecimento pessoal. Trabalhamos não para nós mesmos e sim para os outros, para servi-los, para que não lhes sejamos um fardo e tenhamos algo para compartilhar (Ef 4.28; 1 Tm 5.8).
- O trabalho secular é, portanto, muito valioso, digno e importante. Mas, como toda coisa boa, pode se tornar um ídolo. Podemos começar a olhar para nosso trabalho como um meio de acharmos importância e valor.

- Devemos lembrar que somente a obra de Cristo redime a humanidade. Embora o trabalho secular seja bastante útil e proveitoso em nosso mundo, ele não nos salvará nem edificará o reino de Cristo. Isso só acontece (como vimos no capítulo 3) por meio da pregação do evangelho guiada pelo Espírito.

Ao desafiarmos pessoas quanto ao ministério do evangelho, há dois erros que usualmente cometemos. Um erro é criarmos duas classes de cristãos – aqueles que estão *realmente* trabalhando para o Senhor e procurando anunciar seu reino (os "trabalhadores do evangelho reconhecidos") e o resto. Neste modelo, fazer discípulos é como uma equipe de Fórmula 1. Há apenas um piloto, e as demais pessoas envolvidas fazem seu pouquinho nos bastidores. Podem trabalhar nos boxes, podem ajudar a financiar a equipe ou podem achar patrocinadores e organizar os logotipos que deverão ser pintados nos carros. Mas o piloto é a estrela e o foco, e os demais membros da equipe são os rapazes dos bastidores. Não é surpreendente que eles se sintam como cidadãos de segunda classe.

Como já vimos, não é assim que a Bíblia concebe a obra do evangelho. Não há duas classes de discípulos – somos *todos* discípulos e fazedores de discípulos. Todos os cristãos são chamados a negar a si mesmos, tomar a sua cruz e seguir Jesus até a morte; a renunciar sua vida para a honra e o serviço de Cristo. Isso é mais semelhante a um time de futebol, no qual cada jogador faz tudo que pode para fazer a bola avançar pelo campo do adversário. Há líderes e capitães, mas, fundamentalmente e acima de tudo, cada um é um *jogador*. De fato, em muitos times, o capitão não é necessariamente o melhor jogador ou o contribuinte mais valioso em qualquer partida.

O segundo erro comum é reagirmos ao primeiro erro dissolvendo a distinção entre trabalho do evangelho e qualquer outro trabalho. Nesta maneira de pensar, o trabalho secular é "batizado" como trabalho para o reino de Deus. Por ser um médico, um advogado, um negociante ou um engenheiro de software melhor (ou, embora raramente, um coletor de lixo ou um assistente de estacionamento melhor), estou ajudando a "redimir a cultura" e contribuindo de alguma maneira para o crescimento do reino de Deus. Nesta maneira de pensar, não devemos tirar as pessoas de suas carreiras seculares; devemos incentivá-las a permanecer onde estão para a glória de Deus.

Entretanto, isto também é um engano. A obra do evangelho tem uma importância singular nos planos de Deus para o mundo. Não fazemos discípulos por construir pontes melhores, mas por levarmos dedicadamente a Palavra de Deus às pessoas. Este é o dever, a alegria e o privilégio de *cada* discípulo, em qualquer circunstância que ele esteja. O trabalho secular é valioso e bom e não deve ser desprezado ou menosprezado. Mas não é o centro ou o propósito de nossa vida, nem o meio pelo qual Deus salvará o mundo. Minha identidade primária como cristão não é que sou um contador ou um carpinteiro e sim um discípulo fazedor de discípulos do Senhor Jesus Cristo. É realmente de importância mínima se trabalho para obter meu próprio sustento como discípulo fazedor de discípulos ou se outros me sustentam por causa das exigências da obra de fazer discípulos que realizo. O fato importante é que todos nós somos, juntos, fazedores de discípulos.

PESSOAS QUE VALE A PENA OBSERVARMOS

O que estamos dizendo, em essência, é que devemos ser caçadores de talentos. Se a atual geração de pastores e ministros é responsável por chamar, escolher e separar a geração seguinte, precisamos estar em constante vigilância, para acharmos o tipo de pessoa que têm dons e integridade para pregar a Palavra e pastorear o povo de Deus. E há alguns incríveis talentosos para o ministério em nossas igrejas – pessoas que têm dons extraordinários em liderança, comunicação e gerenciamento; pessoas que têm visão, energia, inteligência e espírito de empreendimento; pessoas que são boas em lidar com pessoas e que podem entender e articular ideias persuasivamente. Se estas pessoas são também servos piedosos de Cristo e anseiam por seu reino, então, por que não caçá-las para uma vida de "ministério do evangelho reconhecido"?

Podemos sentir certa ambivalência teológica neste ponto. Recrutar ativamente pessoas de talento parece mundano e grosseiro. Não devemos apenas ter confiança em Cristo, o Rei entronizado, para que levante pessoas em seu próprio tempo?

É estranho como temos recorrido à soberania de Deus ou de Cristo algumas vezes e outras não. Não paramos de evangelizar ou de ensinar a Palavra apenas porque temos confiança na soberania de Deus para fazer sua obra no coração de seu povo. Não paramos de orar apenas porque Deus tem seus propósitos perfeitos que não podem ser frustrados. Não paramos de encorajar pessoas a servirem a Cristo e se envolverem na vida da igreja, embora saibamos que Cristo é aquele que, em última análise, edificará a sua igreja. As ações de Deus e as nossas não são mutuamente exclusivas. Falamos, servimos, trabalhamos e oramos sabendo que Deus agirá em e por meio destas coisas para dar o crescimento.

Isto também é verdade no que se refere a prepararmos a geração seguinte. Sabemos que o Senhor da seara levantará obreiros, mas isso não nos impede de orar para que ele o faça e de recrutar ativamente pessoas dotadas e piedosas, quando as percebemos.

Mas, que tipo de pessoa devemos procurar? Com base nas epístolas pastorais, aprendemos que, ao selecionar presbíteros, bispos e diáconos, devemos procurar pessoas que são:

- fiéis em seu entendimento da Palavra de Deus e em seu compromisso com ela.
- íntegras em sua reputação e exemplo de piedade.

- talentosas em sua capacidade de ensinar a outros.
- provadas em sua habilidade de liderar e governar uma família.

A esta lista básica poderíamos acrescentar outras qualidades e características que indicam frequentemente pessoas que têm os dons e o potencial para serem trabalhadores do evangelho:

- comunicadores que falam e persuadem para ganhar a vida (como vendedores, professores, corretores e advogados).
- empreendedores que têm o ímpeto e a inteligência para ver possibilidades e começar algo novo.
- líderes naturais que influenciam e inspiram outros apenas pela integridade e força de seu caráter.
- pessoas dotadas academicamente que podem aplicar seu intelecto à teologia, ao ensino, à liderança e à estratégia.
- pessoas que têm o potencial para alcançar grupos específicos em nossa comunidade ou no exterior, por virtude de sua etnia, língua, capacidades, trabalho ou cidade natal.

À medida que trabalhamos com pessoas em nossas igrejas, devemos estar atentos para aquelas que têm estas qualidades ou o potencial para desenvolverem estas qualidades. Estas são as "pessoas que vale a pena observarmos", os potenciais trabalhadores do evangelho para a geração seguinte. Se você começar a observar alguém assim em sua igreja, faça a si mesmo algumas destas perguntas:

- Ele é genuinamente convertido e capaz de articular sua fé em Cristo?
- Está lendo e fazendo perguntas sobre a Bíblia e teologia?
- Ele é fiel em aplicar a Bíblia à sua maneira de pensar e à sua vida?

- É humilde e disposto a aprender?
- É fiel e digno de confiança?
- Há algum pecado passado ou presente que pode trazer desonra ao nome de Cristo?
- Ele serve aos outros sem que lhe peçam?
- Trabalha na evangelização?
- É um comunicador natural?
- Mostra liderança em sua escola, trabalho ou vida esportiva?
- Outros o estão seguindo por causa do seu ministério?
- Pessoas respondem positivamente ao seu ministério?
- Sua vida familiar é saudável?
- Ele se relaciona bem com os outros?
- Sua esposa também é comprometida com o ministério?
- Ele é emocionalmente estável e prudente? Será capaz de enfrentar críticas, desapontamento e fracasso?

O tipo de pessoa que satisfaz a estas perguntas tem o potencial para crescer e se tornar um "trabalhador do evangelho reconhecido". E um dos passos mais proveitosos neste caminho é um ministério de aprendizado.

Capítulo 11

APRENDIZADO MINISTERIAL

O que acontece entre alguém mostrar o potencial para ser separado para desenvolver responsabilidades específicas na obra do evangelho e chegar realmente a esse ponto (por exemplo, como um missionário, um evangelista ou um pastor numa igreja local)? A resposta normal é "seminário" ou "faculdade teológica". Todavia, um número crescente de igrejas e candidatos ao ministério está fazendo uso de um passo intermediário – um treinamento ou aprendizado ministerial, que vem antes da educação teológica formal, que testa, treina e desenvolve pessoas ao longo do caminho para o ministério de tempo integral.

Uma organização muito importante para ambos os autores – a *Ministry Training Strategy* (Estratégia de Treinamento Ministerial) – tem gasto mais de 20 anos ajudando igrejas a estabelecerem cursos de aprendizado ministerial na Austrália, com ramificações no Canadá, Inglaterra, França,

República da Irlanda, Irlanda do Norte, Singapura, Nova Zelândia, Taiwan, Japão, Chile e África do Sul. A ideia básica é que "pessoas que vale a pena observarmos" são recrutadas para uma experiência de imersão total, por dois anos, de trabalho para uma igreja ou outro ministério cristão. Suas convicções, caráter e competências são testados e desenvolvidos. Sob a supervisão de um ministro experiente, tais pessoas "pegam" a natureza e o ritmo do ministério cristão, assimilando lições e habilidades valiosas e avaliando a sua adequabilidade para a obra do evangelho de longo prazo.

O aprendizado da *Ministry Training Strategy* iniciou-se em 1979, quando Phillip Jensen começou a treinar alguns universitários talentosos e capazes que amavam a Deus. Naquele tempo, não havia a visão de longo prazo ou plano de expansão. Mas, desde 1979, mais de 1.200 aprendizes da *Ministry Training Strategy* foram treinados em igrejas e ministérios de campus em toda a Austrália. Destes aprendizes, mais de 200 estão presentemente engajados em estudo teológico em várias faculdades, e outros 400 homens e mulheres completaram seus estudos formais e estão agora servindo como obreiros de tempo integral ao redor do mundo.

Uma das perguntas mais frequentes que nos tem sido feita no decorrer dos anos é: *por que devemos nos importar com um aprendizado?* Visto que enviamos nossos aprendizes para o estudo teológico formal, o aprendizado acrescenta realmente algo significativo? É um grande sacrifício para os candidatos ao ministério passarem dois anos extras em treinamento. Também é difícil pastores e igrejas proverem supervisão e remuneração para aprendizes que são frequentemente inexperientes e não testados. Que benefícios temos visto para aqueles que fazem um aprendizado ministerial? Eis algumas reflexões.

1. Os aprendizes aprendem a integrar a Palavra, a vida e a prática ministerial

Na sala de aula, compartilhar e processar informações são o foco, e nem sempre é imediatamente óbvia a forma como a Palavra transforma a vida de um ministro. Há um nível de abstração inevitável e um tanto apropriado. Contudo, num aprendizado ministerial, o treinador e o aprendiz estudam as Escrituras juntos, semana após semana, e se esforçam por sua aplicação a questões pastorais, padrões teológicos e planos de ministério. O aprendiz aprende a pensar bíblica e teologicamente sobre tudo e desenvolve isso de maneira prática com seu treinador.

2. Os aprendizes são testados em seu caráter
Um pastor que trabalha bem de perto com um aprendiz pode ver o que não pode ser visto no contexto de sala de aula. A lacuna entre a imagem e a realidade é exposta nas pressões e dificuldades da vida ministerial. A pessoa real é revelada – as verdadeiras motivações, a capacidade de amar e perdoar, as cicatrizes e feridas do passado e assim por diante. Um treinador sábio pode edificar o caráter piedoso do jovem ministro por meio da Palavra, da oração, da prestação de contas e de ser um modelo para ele.

3. Os aprendizes aprendem que o ministério diz respeito a pessoas e não a programas
Sabemos que o ministério diz respeito à transformação de pessoas e à edificação de comunidades piedosas por meio do evangelho. Mais do que qualquer outra coisa, um aprendizado são dois anos de trabalho com pessoas – reunindo-se com crentes, discipulando novos cristãos, treinando líderes de jovens, liderando pequenos grupos ou confortando aqueles que passam por lutas. Nosso alvo é que os aprendizes passem 20 horas de sua semana em ministério com pessoas, face a face e com a Bíblia aberta. Eles aprendem, em primeira mão, que o ministério diz respeito a pessoas e não a estruturas.

4. Os aprendizes são bem preparados para o estudo teológico formal
Durante os dois anos de envolvimento ministerial, muitas questões bíblicas e teológicas são levantadas e discutidas no contexto apropriado de

evangelização e edificação da igreja. No final, os aprendizes estão ansiosos pela oportunidade de examinar rigorosamente estas questões num estudo posterior. A vida e a preparação para o ministério, e não o passar nas provas de admissão, se tornam a motivação e o contexto para estudo posterior.

5. Os aprendizes aprendem o ministério no mundo real

Um dos problemas de sala de aula é que o aluno não precisa admitir as ideias da mesma maneira que precisa admiti-las no púlpito ou num ministério pastoral pessoa a pessoa. Seu aprendizado é abstraído da vida e ministério diários. Ele aprende sobre dez opiniões diferentes quanto à expiação, a fim de passar nas provas e não porque alguma coisa mostra a diferença entre elas. Ensinar a verdade aos outros ajuda o aprendiz a entender a importância do treinamento teológico.

Outro problema de um modelo de treinamento puramente acadêmico é que ele se adapta a certas personalidades (ou seja, aos que são dispostos a ler, pensar, analisar e escrever). No entanto, alguns de nossos melhores evangelistas e plantadores de igreja podem ser pessoas que têm dificuldades em sala de aula. Estas pessoas florescem num contexto em que elas estão falando, pregando e edificando ministérios enquanto são instruídas ao longo do caminho. Na academia, elas seriam consideradas fracassos.

6. Os aprendizes aprendem como serem treinadores de outros, para que o ministério se multiplique

Visto que os aprendizes recebem a experiência de instrução e acompanhamento pessoal quanto à vida e ao ministério, eles absorvem o que chamamos de "mentalidade de treinamento". Quando estiverem liderando um ministério no futuro, equiparão instintivamente cooperadores e construirão equipes de ministério. Aqueles que aprendem o ministério apenas na sala de aula não captam a visão de confiar o ministério a outros. Aqueles que são treinados como aprendizes tendem a vislumbrar seus próprios aprendizes quando estiverem liderando uma igreja.

7. Os aprendizes aprendem evangelização e ministério empreendedor

Os aprendizes são uma oportunidade para pensarmos estratégica e criativamente sobre o ministério. Em nosso contexto missionário pós-cristão, pluralista e multicultural, muitos pastores não têm mais um rebanho sentado nos bancos esperando o sermão de domingo. Os aprendizes podem experimentar novas maneiras de alcançar as pessoas e tomar a iniciativa para começarem novos grupos e novos programas.

◇◇◇◇◇◇◇

De muitas maneiras, a *Ministry Training Strategy* (Estratégia de Treinamento Ministerial) é uma aplicação das palavras de Paulo dirigidas a Timóteo: "E o que de minha parte ouviste através de muitas testemunhas, isso mesmo transmite a homens fiéis e também idôneos para instruir a outros" (2 Tm 2.2). Quando Paulo chegou perto do final de sua vida, sabia que a proclamação fiel e contínua do evangelho não seria garantida pela redação de confissões doutrinárias ou pela criação de estruturas institucionais (por mais importantes que sejam). O evangelho só seria guardado e propagado se fosse passado de mãos fiéis para outras, à medida que cada geração de pregadores fiéis passasse o depósito sagrado à geração seguinte, que, por sua vez, ensinaria e treinaria outros.

A *Ministry Training Strategy* se focaliza, realmente, em passar o bastão do evangelho à próxima geração de corredores. O manual da MTS sobre aprendizado ministerial – chamado *Passando o Bastão* – tem muitas informações sobre o que o aprendizado de dois anos pode conseguir, como estabelecê-lo e realizá-lo, como recrutar aprendizes e assim por diante. Não repetiremos as informações aqui.

No entanto, vale a pena refletirmos um pouco mais sobre onde chegamos no ciclo de treinamento e crescimento. Começamos, você lembra, por dizer que todos os cristãos deveriam ser treinados para serem discípulos que fazem discípulos – treinados em seu conhecimento de Deus (convicções), sua piedade (caráter) e sua habilidade para servir a outros (competências). Sugerimos que a maneira de iniciarmos era escolher apenas um pequeno grupo de potenciais cooperadores e começar a treiná-los, na expectativa de que alguns destes cooperadores seriam, por sua vez, capazes de treinar outros. À medida que este ciclo de treinamento continua, uma força-tarefa de fazedores de discípulos começa a se formar – pessoas que trabalham ao seu lado para ajudar outras a fazerem progresso no "crescimento evangélico".

À medida que você continua discipulando e treinando, começa a notar certas pessoas que têm potencial para o ministério – pessoas que vale a pena observarmos. São pessoas que você desafia e recruta como a próxima geração de "trabalhadores do evangelho reconhecidos". Elas fazem um aprendizado ministerial e, depois, vão para a faculdade bíblica ou teológica; após, elas seguem para o ministério e começam a treinar outros... e o ciclo começa novamente.

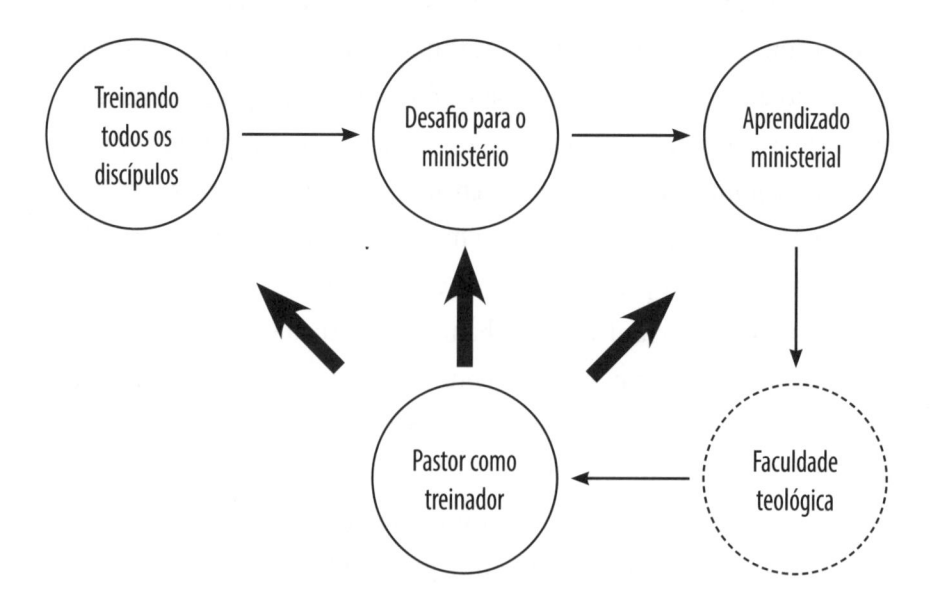

Aprendizado ministerial

É assim, pelo menos, que a teoria deve funcionar. Mas é claro que, na realidade, ela tende a ser confusa e não tão fácil de ser traçada. Alguns aprendizes de ministério não vão para a faculdade teológica – o seu treinamento de dois anos os ajuda a perceber (ou ajuda seus treinadores a perceberem) que eles não têm o caráter ou as competências reconhecidas para a obra do evangelho. Para aqueles que vão à faculdade teológica, uma enorme variedade de ministérios os espera do outro lado – desde o tornarem-se missionários no exterior a pastorearem uma congregação, a retornarem ao trabalho secular e a serem cooperadores voluntários em uma nova plantação de igreja.

As coisas também ficam confusas porque às vezes recrutamos as pessoas erradas. Há vários erros comuns que cometemos:

- Recrutamos somente aquelas pessoas que são como nós – pessoas que se harmonizam com nossa própria personalidade ou estilo de ministério.
- Ignoramos o inconformista ou o revolucionário, que é mais difícil de ser treinado, mas que poderia evangelizar nações.
- Deixamos de lado a pessoa criativa e intuitiva, que é fraca em administração, mas que alcançaria pessoas de maneiras que jamais pensamos.
- Recrutamos a pessoa dinâmica, o jovem superstar expansivo e não a pessoa de caráter e conteúdo genuínos.
- Recrutamos apenas para um tipo de ministério – geralmente, a forma tradicional de ministério em nossa denominação – em vez de começarmos com uma pessoa talentosa e piedosa e de pensarmos que tipo de ministério poderia ser desenvolvido em torno dela.
- Não deixamos as pessoas escaparem da caixa em que as colocamos; não permitimos que elas superem as primeiras impressões que temos a seu respeito.

- Esperamos demais para recrutar certas pessoas, e elas acabam tomando decisões familiares ou profissionais que fecham as opções de ministério.

Independentemente de quem você recrute, uma verdade árdua precisa ser encarada: recrutar pessoas para o ministério, treiná-las como aprendizes e mandá-las para a faculdade bíblica resultará, inevitavelmente, na saída de seus melhores e mais talentosos membros de igreja. Isto é um desafio para o seu amor pelo evangelho. Em que você está mais interessado: no crescimento de sua própria congregação ou no crescimento do reino de Deus? Está comprometido com o crescimento da igreja ou com o crescimento do evangelho? Você quer mais membros nos bancos da igreja agora ou mais trabalhadores para a seara nos próximos 50 anos?

Em teoria, é fácil darmos a resposta correta. Mas a fé sem obras é morta. Demonstramos nossa confiança no poder do evangelho e no reino universal de Cristo, quando continuamos a empurrar nossos melhores e mais brilhantes jovens para fora, para a obra do evangelho.

A coisa maravilhosa a respeito da generosidade é que Deus a ama e a abençoa. Em nossa experiência, aquelas igrejas que não tentam segurar seus membros, mas sempre os treinam e os exportam generosamente para treinamento posterior e ministério em outros lugares, são igrejas que Deus abençoa com mais e mais pessoas novas para serem treinadas.

A mentalidade de treinamento é um mecanismo de crescimento e dinamismo. Multiplica o ministério porque multiplica os ministros. Gera e desenvolve continuamente discípulos que fazem discípulos – tanto dentro de nossa própria igreja como no mundo afora – para a glória do Senhor Jesus, cuja autoridade se estende sobre todos até ao fim dos séculos.

Capítulo 12

COMEÇANDO

Agora, temos a impressão de que começamos algum tempo atrás com uma videira, uma treliça e a Grande Comissão. E, no início, fizemos uma promessa de que não ofereceríamos nenhuma técnica nova, nenhuma bola mágica e nenhum caminho garantido para o sucesso e o estrelato no ministério.

Fizemos isto porque o ministério cristão não é realmente muito complicado. É apenas o fazer e o nutrir genuínos seguidores do Senhor Jesus Cristo por meio da proclamação dedicada da Palavra de Deus, guiada pelo Espírito. É fazer discípulos.

Isto não é difícil de entender nem de fazer – a menos, é claro, que você seja uma pessoa pecadora que vive num mundo de pecadores. A tarefa enganosamente simples de fazer discípulos se torna exigente, frustrante e difícil em nosso mundo, não porque ela seja difícil de ser compreendida, mas porque é difícil perseverarmos nela.

Esta é a razão porque corremos atrás do mais recente perito em ministério que sempre tem feito uma igreja crescer do nada para, no mínimo, 5.000 pessoas. A cada cinco ou dez anos, uma nova onda aparece. Pode ser o modelo de culto para interessados, ou o modelo de igreja com propósito, ou o modelo de envolvimento cultural em missões ou qualquer outra nova moda. Todas estas metodologias têm coisas boas a seu favor, mas todas estão igualmente aquém do objetivo real – porque nosso alvo não é fazer igrejas crescerem, e sim fazer discípulos.

Vamos reunir nossos pensamentos com as seguintes proposições:

1. Nosso alvo é fazer discípulos

O alvo do ministério cristão não é aumentar o auditório no domingo, fortalecer o papel da membresia, ter mais pessoas nos pequenos grupos ou expandir o orçamento (por mais importantes e valiosas que estas coisas sejam!). O alvo fundamental é fazer discípulos que fazem outros discípulos, para a glória de Deus. Queremos ver pessoas convertidas da morte em ofensas e pecados para a vida em Cristo; e, uma vez convertidas, que sejam acompanhadas e firmadas como discípulos maduros de Jesus; e, quando se tornarem firmes, que sejam treinadas em conhecimento, piedade e habilidades para que, por sua vez, façam discípulos de outros.

Esta é a Grande Comissão – fazer discípulos. O padrão de uma igreja florescente é que ela esteja fazendo discípulos genuínos, que, por sua vez, façam discípulos de Jesus Cristo.

2. As igrejas tendem em direção ao institucionalismo como as faíscas voam para cima

Igrejas se movem inevitavelmente em direção ao institucionalismo e à secularização. O foco muda da videira para a treliça – de ver pessoas crescendo como discípulos para organizar e manter programas e atividades. Como pastores, chegamos a pensar somente em termos de estrutura e coletividade. Desgastamo-nos no envolver pessoas em pequenos grupos, aumentar os números de pessoas em vários programas, criar eventos aos quais pessoas possam vir e assim por diante. Paramos de pensar e orar sobre as pessoas e o ponto em que cada uma está no crescimento evangélico e nos focalizamos, em lugar disso, em conduzir grande número de atividades – cuja frequência (presumimos) equivalerá a crescimento em discipulado.

No entanto, participar de grupos e de atividades não produz crescimento em discipulado, assim como o ouvir o Sermão do Monte não torna uma pessoa em discípulo de Jesus. Muitos daqueles que acompanharam Jesus e o seguiram em diferentes tempos não eram discípulos genuínos. As multidões se aglomeravam ao redor dele por muitas razões, mas logo se afastavam dele novamente.

3. A essência do fazer discípulos é o ensino diligente

A palavra "discípulo" significa, antes de tudo, "aprendiz" ou "pupilo". É assim que nos tornamos discípulos e crescemos como discípulos: ouvindo e aprendendo a Palavra de Cristo, o evangelho, e aplicando sua verdade ao nosso coração pelo Espírito Santo. A essência da obra de videira é o falar diligente, guiado pelo Espírito, a mensagem da Bíblia, uma pessoa para outra (ou para mais do que uma). Várias estruturas, atividades, eventos e programas podem prover um contexto em que este falar diligente pode acontecer, mas sem o falar é tudo treliça e não videira.

4. O alvo de todo o ministério – não apenas da obra de pessoa a pessoa – é nutrir discípulos

Não existem estruturas ou contextos específicos para discipular. Em alguns lugares, o "movimento de discipulado" tem mudado a linguagem de fazer discípulos para dar a entender que somente o acompanhamento um a um constitui o verdadeiro fazer discípulos e que reuniões da igreja, pequenos grupos e outras reuniões coletivas não equivalem a fazer discípulos. O alvo de todo o ministério cristão, em todas as suas formas, é fazer discípulos. O sermão no domingo deve almejar fazer discípulos, bem como o pequeno grupo que se reúne às terças-feiras à noite, o café da manhã de homens que acontece uma vez por mês e a reunião informal de amigos cristãos que acontece nos sábados à tarde.

Nestas questões, as igrejas tendem a oscilar para um extremo ou outro. Quando escrevemos isto, na maioria das igrejas que conhecemos e visitamos, o problema é que não há quase qualquer trabalho pessoal acontecendo, e os que constituem a equipe pastoral gastam seu tempo em organizar e administrar, em vez de procurar, discipular e treinar pessoas. Eles mesmos gastam pouco tempo com o treinamento de pessoas, e essas pessoas, por sua vez, gastam pouco tempo se reunindo para treinamento de outras pessoas. O foco mudou de pessoas e seu crescimento como discípulos para atividades, eventos e crescimento em números.

5. Ser um discípulo é ser um fazedor de discípulos

Jesus deu a seus discípulos uma visão para fazerem discípulos em todo o mundo. Nenhum lugar da criação está fora dos limites, e nenhum discípulo está isento da obra.

Esquivamo-nos naturalmente do caráter radical deste desafio. Esta definição substitui nossa agradável e cômoda visão da "ótima vida cristã" por uma chamada para todos os cristãos dedicarem sua vida a fazer discípulos de Jesus.

"Fazer discípulos" é uma expressão realmente útil para resumir esta chamada radical, porque abrange tanto alcançar os não cristãos quanto encorajar os irmãos na fé a crescerem em Cristo. Como Mateus 28 diz, fazer discípulos é batizar pessoas em Cristo, e ensiná-las a obedecer a tudo o que Jesus ordenou. Fazer discípulos, portanto, se refere a uma enorme gama de relacionamentos, conversas e atividades – tudo desde pregar um sermão a ensinar numa classe de escola dominical; desde conversar com um vizinho não cristão na cerca do quintal a escrever um bilhete de encorajamento para um amigo cristão; desde convidar um membro da família para ouvir o evangelho na igreja a reunir-se com um irmão em Cristo para estudarem a Bíblia juntos; desde ler a Bíblia para seus filhos a fazer um comentário cristão no cafezinho no escritório.

6. Fazer discípulos precisa ser treinado e equipado com convicção, caráter e competência

Se esta visão de fazer discípulos está correta, uma parte integral de fazer discípulos é ensinar e treinar cada discípulo a fazer outros discípulos. Este treinamento não é apenas a transmissão de certas técnicas e habilidades. Envolve nutrir e ensinar pessoas em seu entendimento e conhecimento (suas convicções), em sua piedade e maneira de viver (seu caráter) e em suas habilidades e experiência prática de ministrar aos outros (sua competência).

Este tipo de treinamento se parece mais com paternidade do que com sala de aula. É relacional e pessoal e envolve modelação e imitação. Para a maioria das igrejas e dos ministros, pensar em treinar desta maneira exigirá diversas "mudanças de mentalidade" quanto ao ministério – desde conduzir programas e eventos a focalizar-se em pessoas e treiná-las; desde trabalhar com pessoas a fazer outras pessoas crescerem; desde manter estruturas a treinar novos fazedores de discípulos.

7. Há apenas uma classe de discípulos, apesar dos diferentes papéis e responsabilidades

Todos os cristãos devem ser fazedores de discípulos e devem buscar o crescimento da videira, sempre e como puderem. Contudo, entre a variedade de dons e papéis que cristãos diferentes têm nesta tarefa, alguns têm responsabilidade específica como pastores, supervisores e presbíteros, para ensinar, advertir, repreender e encorajar. Estes são os diretores e organizadores da visão de fazer discípulos de Cristo, os guardiões e mobilizadores, os mestres e modelos. Pastores, presbíteros e outros líderes proveem as condições sob as quais o resto da congregação pode dar continuidade à obra de videira – por falarem diligentemente a verdade de Deus aos outros.

Em um nível profundo, todos os pastores e presbíteros são apenas jogadores no time. Não têm uma essência ou um *status* diferente, nem uma tarefa essencialmente diferente – como se fossem os jogadores, e o restante da congregação fossem espectadores ou equipe de apoio. Um pastor ou presbítero é um dos trabalhadores de videira que recebeu uma responsabilidade específica para cuidar do povo e equipar os membros da igreja para serem fazedores de discípulos.

8. A Grande Comissão, com seu imperativo de fazer discípulos, precisa instigar uma nova maneira de pensar sobre nossas reuniões de domingo e sobre o lugar do treinamento na vida da congregação
O que obstrui a visão de fazer discípulos, dada por Cristo, nas igrejas cristãs? Na maioria dos casos, não é a falta de pessoas para serem treinadas nem a ausência de não cristãos para serem alcançados, mas padrões e tradições que restringem a vida da igreja. Estes obstáculos podem ser denominacionais e de longa existência. Ou podem ser o resultado da adoção da tendência mais recente de crescimento de igreja. Podem estar na mente do pastor, ou na mente das pessoas, ou – mais provavelmente – na mente de ambos.

Se o alvo de nosso ministério é fazer discípulos, então muitas igrejas (e seus pastores) precisarão fazer uma reconsideração do que estão procurando atingir em suas reuniões de domingo e de como isso se relaciona com outras atividades de ministério durante o resto da semana. Isto pode significar começar coisas novas, porém, muito frequentemente, significará o encerramento de estruturas e programas que não servem mais, eficientemente, ao alvo de fazer discípulos. Pode significar a remoção de atividades e eventos regulares, de modo que a congregação tenha tempo para realizar alguma obra de fazer discípulos – reunirem-se com amigos não cristãos, reunirem-se individualmente com novos frequentadores da igreja e assim por diante. Pode significar uma revolução na maneira como a equipe de liderança da igreja vê seu ministério – não atuando como provedores de serviços ou como gerentes, mas como treinadores.

9. Treinar quase sempre começa pequeno e cresce, à medida que os trabalhadores se multiplicam

A tentação envolvida em treinar é sempre começarmos um novo programa – realizarmos uma multidão de cursos de treinamento e, por meio deles, impactarmos o maior número de membros da congregação quanto possível. Aplicamos nossa mentalidade gerencial baseada em estruturas e eventos à tarefa de treinar e tentamos fazer isso em larga escala e de modo eficiente. Mas não podemos realmente treinar pessoas desta maneira, como não podemos exercer a paternidade desta maneira. Treinar é algo pessoal e relacional e exige tempo. Envolve compartilhar não somente habilidades, mas também conhecimento e caráter. Envolve imitação e ser modelo. Cursos de treinamento e outros recursos são ferramentas muito úteis que nos ajudam nesta tarefa. Podem nos fazer economizar muito tempo (porque não teremos nós mesmos de elaborar e aprimorar conteúdos de treinamento) e podem oferecer excelentes estruturas nas quais a obra relacional e pessoal de treinar pode acontecer. Mas o treinamento deve começar com pessoas e focalizar-se em pessoas – não em programas.

Em outras palavras, se queremos começar a treinar discípulos para serem fazedores de discípulos, precisamos formar uma rede de ministério pessoal em que pessoas treinam pessoas. E isso só poderá começar se escolhermos um grupo de prováveis candidatos e começarmos a treiná-los como cooperadores. Este grupo trabalhará ao nosso lado, e, em algum tempo, eles mesmos se tornarão treinadores de outros cooperadores. Alguns de nossos cooperadores atingirão seu potencial e se tornarão colegas de trabalho e fazedores de discípulos frutíferos. Outros não. Mas não podemos evitar isso. Construir um ministério baseado em pessoas e não em programas é inevitavelmente tumultuado e consome tempo.

10. Precisamos desafiar e recrutar a próxima geração de pastores, mestres e evangelistas

Quando a máquina de treinamento começa a funcionar, e pessoas dentro de nossa congregação são mobilizadas a ministrar aos outros, algumas pessoas "que vale a pena observarmos" surgirão – pessoas de convicções, caráter e competências fortes. Estas pessoas são os potenciais "trabalhadores do evangelho reconhecidos" da próxima geração. E, se você é um pastor ou presbítero, uma de suas responsabilidades dadas por Deus é reconhecer estes homens, nutri-los e treiná-los e confiar-lhes o evangelho, os quais, por sua vez, serão "fiéis e também idôneos para instruir a outros" (2 Tm 2.2).

Muitas igrejas têm achado que um programa de aprendizado ministerial é uma maneira muito eficiente de promover este processo (como o programa desenvolvido e apoiado pelo *Ministry Training Strategy* (Estratégia de Treinamento Ministerial).

COMEÇANDO

Esperamos que a leitura deste livro tenha deixado sua mente zunindo com ideias e desafios para o ministério em que você está envolvido. Contudo, frequentemente é muito difícil traduzir uma mente repleta de ideias para um conjunto de alvos e ações concretos.

Para ajudá-lo a pensar e planejar, sugerimos aqui *um plano* para você começar a remoldar seu ministério em torno de pessoas e de treinamento, em vez de programas e eventos.

Passo 1: Estabeleça a agenda nos domingos
Se você quer mudar a cultura na direção de fazer discípulos e de treinamento, esta nova direção precisa moldar suas reuniões regulares aos domingos.

Você poderia, por exemplo, pregar uma série de sermões sobre "O que é crescimento evangélico?" ou sobre "Discípulos e fazer discípulos". Você pode expor a visão bíblica da Grande Comissão e como ela resulta em discípulos que fazem outros discípulos.

No entanto, mais do que isso, em sua exposição regular das Escrituras:

- mostre como o evangelho da graça modela uma vida de louvor e de sacrifício por Cristo.
- entusiasme a congregação com os grandes propósitos eternos de Deus em fazer discípulos e formar uma comunhão de discípulos sob o senhorio de Cristo.
- chame a congregação ao discipulado radical.
- comunique a expectativa de que as coisas que estão sendo ensinadas do púlpito devem também ser transmitas a outros (você pode oferecer resumos ou perguntas de discussão para uso em ministério pessoal).
- pregue de uma maneira que ensine a igreja a entender a Bíblia e a comentá-la entre eles mesmos; mostre-lhes como você chegou às suas conclusões com base no texto exposto.
- aborde questões apologéticas e pastorais que serão úteis não apenas para os presentes, mas também para outros por meio do ministério pessoal dos presentes.

Não é apenas o sermão que estabelece a agenda e começa a mudar a cultura da congregação. Nas reuniões de sua igreja, traga membros à frente para compartilharem fatos sobre os ministérios em que estão envolvidos. Não traga apenas superestrelas e histórias de sucesso. Ofereça exemplos para a congregação de pessoas que estão saindo de sua zona de conforto e tentando algo novo.

Isto também flui para os assuntos pelos quais oramos em nossas reuniões. Faça dos vários ministérios pessoais dos membros da congregação um assunto regular para as orações coletivas.

Também podemos desenvolver uma cultura de treinamento na maneira como as pessoas contribuem para o culto. Ofereça treinamento e ouça o retorno daqueles que participam do culto – na música, na leitura bíblica, nas orações, no compartilhar um testemunho, na recepção de novos frequentadores e assim por diante.

Passo 2: Ande perto de seus presbíteros ou conselho espiritual

Ao construir uma ênfase em treinamento e em fazer discípulos na sua igreja, é vital que os presbíteros e os líderes existentes sejam totalmente incluídos no pensamento, planejamento e tomada de decisões. Eis um exemplo de como um pastor fez isso:

> Ao introduzirmos a Estratégia de Treinamento Ministerial na Christian Reformed Churches of Australia (CRCA), não podemos esquecer que estas igrejas são governadas por um sistema de presbíteros em cada congregação. Todas as decisões sobre a vida e a direção da igreja são tomadas pelos presbíteros que formam o conselho da igreja. Por isso, quando Colin Marshall me convidou a fazer seu curso Arte de Treinamento Ministerial [um precursor deste livro], eu sabia que teria de obter a concordância da minha equipe de presbíteros. Pedi a Colin permissão para fazer fotocópias das leituras designadas no curso, a fim de compartilhar com meus presbíteros. Tornou-se necessário que eu fizesse as leituras antes de cada reunião

do conselho, e, depois, nós as discutíamos na primeira meia hora da reunião. Fiz isso durante aquele ano, para que, ao terminar o curso, os presbíteros tivessem também feito algumas leituras.

Havendo terminado o curso e estando muito interessado nele, perguntei aos presbíteros o que eles pensavam. Eles concordaram em que o curso seria parte do que faríamos como igreja. O fato importante no modo como introduzimos o curso foi que os presbíteros me acompanharam na ideia. Tiveram tempo para assimilar todas as novas ideias. Tiveram tempo para refletir e assimilá-lo, de modo que, ao perguntar-lhes, no final do ano: "Nós o faremos?", estavam prontos para seguir em frente.

É muito importante dar aos seus líderes tempo para processarem a ideia, concordarem com ela e tomarem-na para si. Digo isto porque meus colegas não tomaram os passos que tomei, e, quando o apresentaram ao conselho de sua igreja local, muitos encontraram resistência a estas "novas ideias". Vários colegas me pediram que falasse aos seus presbíteros, e gastei uma noite naquelas igrejas explicando os principais conceitos do treinamento ministerial. Fiquei feliz por ver "a luz acendendo" para alguns dos presbíteros mais velhos, que encorajam seus pastores a estabelecer o treinamento em suas igrejas.

Na CRCA, este processamento por meio dos presbíteros precisa ser uma coisa permanente, visto que cada um de nossos presbíteros serve por um mandato de três anos. Eu treino todos os meus presbíteros por seis meses. Este processo de treinamento e os quatro seminários que realizamos sobre o que é a Estratégia de Treinamento Ministerial e como ela funciona os tem deixado entusiasmados quanto à mentalidade de treinamento, quando são indicados como líderes da igreja. Ver homens jovens sendo treinados em pregação, líderes de estudos bíblicos, e aprendizes adquirindo as habilidades do ministério, tem dado aos presbíteros o senso de que somos uma igreja que treina; é parte de nosso DNA agora. Tudo é uma questão de mentalidade: "este é o modo como somos igreja". É sermos fiéis ao mandato de fazer discípulos e de equipar os santos para a obra do ministério. É o que precisamos fazer se queremos pastores, evangelistas e líderes agora e para o futuro.

Estabelecer alguma forma de treinamento e a "conversa ministerial" constante na agenda das reuniões regulares do conselho da igreja é muito proveitoso. Com o passar do tempo, isso solidifica o corpo de presbíteros como cooperadores no evangelho e não como um conselho de reguladores e de responsáveis pela igreja. Decisões são tomadas pelo prisma do crescimento do evangelho.

Com o passar do tempo, podemos também criar a expectativa de que ser um presbítero ou conselheiro espiritual também significa estar engajado em algum ministério pessoal da Palavra – visitar os novos frequentadores, reunir-se individualmente com outras pessoas, orientar indivíduos que têm o potencial para serem futuros líderes. O alvo geral é aumentar a unidade em torno da tarefa comum da obra do evangelho.

Passo 3: Comece a formar uma nova equipe de cooperadores
O princípio é: faça uma obra profunda na vida de poucas pessoas.

Este é o grupo de irmãos e irmãs que morreriam juntos por causa do evangelho, aqueles com os quais você compartilhará sua vida e ministério, na expectativa de que eles aprenderão a evangelizar, ensinar e treinar outros.

Observe que esta é uma *nova* equipe. Não pense apenas naqueles que estão servindo em ministério ou em comissões. Escolha uma mistura de líderes atuais e líderes futuros, com os quais você gostaria de construir o ministério nos próximos cinco anos.

Lembre: você não está recrutando pessoas para preencher lacunas no programa de sua igreja; e, sim, treinando cooperadores ao redor dos quais edificará o ministério de acordo com os dons e as oportunidades específicas deles. Algumas destas pessoas começarão novos empreendimentos na evangelização ou no crescimento cristão – coisas que você ou elas ainda não tinham imaginado ou pensavam que seriam possíveis.

Treinar esta equipe de cooperadores pode ser realizado por meio de reuniões individuais, reuniões de grupos ou, mais frequentemente, um mistura de ambas e inclui a nossa agora familiar mistura dos três "Cs" (convicção, caráter e competência). Quanto a mais ideias sobre como treinar uma equipe de cooperadores, ver o capítulo 9.

Passo 4: Procure definir com seus cooperadores como o fazer discípulos crescerá em seu contexto

Então, você está treinando uma equipe de cooperadores – mas, como o fazer discípulos se desenvolverá a partir desta base? Como se multiplicará? Não há, de fato, uma resposta correta, porque isso depende dos dons e das circunstâncias de seus cooperadores, bem como da igreja ou do contexto de ministério em que você está trabalhando. Eis apenas uma ideia para manter as coisas fluindo.

A sua congregação talvez já tenha uma rede de grupos de estudos bíblicos que funciona razoavelmente bem, mas o desafio real que você tem agora é ajudar novas pessoas (cristãos ou não cristãos) a se integrarem à vida da congregação e a serem discipuladas. Portanto, você trabalha com seus cooperadores num ministério de visitas e acompanhamento direcionado especialmente para os novos frequentadores. O alvo é que todo novo frequentador ou visitante da igreja seja visitado pessoalmente em seu lar e, depois, acompanhado durante os seis meses seguintes, até ao tempo em que ele esteja seguro e alegremente envolvido num grupo pequeno (no qual o líder do grupo assume a responsabilidade de discipulá-lo). Seus cooperadores são a linha de frente em fazer acontecer este processo de integração. Você os leva consigo para visitar novos frequentadores da igreja e os treina em como avaliar o nível em que eles estão no crescimento evangélico. Cada cooperador pode tomar pessoalmente dois ou três novos frequentadores por um período de três meses: para se reunir individualmente com eles várias vezes, evangelizá-los, se ainda não são crentes, ler a Bíblia e orar com eles, explicar a visão da igreja e como envolver-se, levá-los para almoçar e apresentá-los aos membros da congregação, telefonar para eles quando não vêm à igreja, para saber como estão passando e cuidar que se unam a um pequeno grupo.

Há muitos recursos disponíveis para ajudar um cooperador a reunir-se com novos frequentadores e ministrar-lhes um a um. Há ferramentas de estudos bíblicos para compartilhar o evangelho com alguém, ou para estabelecer alguém nas verdades básicas da fé e da vida cristã, ou apenas para ler a Bíblia individualmente com outra pessoa. Há também materiais excelentes para ajudá-lo a treinar cooperadores nestas habilidades de ministério.

Ora, esta ideia só funcionará a longo prazo se os pequenos grupos estiverem funcionando bem – e, em especial, se os líderes dos grupos tiverem sido treinados a verem a si mesmos não apenas como facilitadores ou organizadores, mas também como fazedores de discípulos e "minipastores" das pessoas de seu grupo. Gastar tempo regular com seus líderes de grupos para treiná-los desta maneira pode ser a sua próxima prioridade.

Passo 5: Realize alguns programas de treinamento
Embora tenhamos enfatizado que a necessidade de treinamento é pessoal – ao contrário de apenas guiar pessoas num curso de três semanas – há muitas vantagens em realizar programas de treinamento estruturados ou padronizados. Eles não somente oferecem um nível de estrutura formal que pode aprimorar a qualidade do treinamento, mas podem também funcionar

como o primeiro passo para a identificação de pessoas que são adequadas para mais responsabilidade e mais treinamento pessoal intensivo.

Por exemplo, você poderia encorajar todos os pequenos grupos a fazerem um curso sobre evangelização em seu tempo normal de grupo – *Seis Passos para Falar sobre Jesus* ou *Duas Maneiras de Viver: Conhecer e Compartilhar o Evangelho*. Isto dará a todo o grupo, não importando o seu nível de crescimento ou os seus dons, certa medida de habilidade e confiança em serem capazes de falar sobre sua fé. No entanto, realizar um curso como este revelará pessoas que são realmente boas em evangelização e que estão prontas para treinamento e ministério posterior nesta área.

Passo 6: Fique atento a "pessoas que vale a pena observarmos"
À medida que cresce o número de pessoas engajadas em treinamento e ministério, fique atento àqueles que têm verdadeiro potencial. Convide um ou dois deles para um aprendizado ministerial de dois anos.

O alvo de longo prazo pode ser o de enviar estes aprendizes para fazer um treinamento formal posterior e, depois, retornar à congregação para trabalhar ao seu lado ou para plantar uma nova igreja com o seu apoio. À medida que mais e mais pessoas são treinadas como fazedores de discípulos, mais e mais pessoas são contatadas, evangelizadas e/ou acompanhadas. A quantidade de trabalho com pessoas prolifera gradualmente. E a necessidade por pastores, líderes, supervisores e presbíteros cresce de acordo com isso. O número de obreiros pagos em sua congregação precisará crescer, apenas para se adequar ao número crescente de pessoas que devem ser lideradas e pastoreadas.

Por favor, lembre: isto é apenas um conjunto de ideias sobre como começar. Seu ministério e seu contexto produzirão suas próprias variações e desafios.

Quando você começa a introduzir estes conceitos em sua congregação, tenha o cuidado de continuar pregando o evangelho do perdão gratuito por meio de Jesus e a vida de obediência que resulta do evangelho. Continue a exaltar a morte e a ressurreição de Cristo e a orar por seu povo. A motivação de servir e de ser treinado procede do evangelho e de uma obra profunda do Espírito no coração das pessoas. Não vem de você insistir em treinamento e de importunar as pessoas até que elas finalmente se submetam a fazê-lo! É graça e não culpa. Não faça do "treinamento" o novo critério de verdadeiro discipulado.

No entanto, as possibilidades de treinamento e crescimento na maioria das igrejas são infinitas e altamente empolgantes. E você precisará refletir por si mesmo nas possíveis mudanças radicais que precisam acontecer. Para ajudá-lo a fazer isso e como um meio útil de concluir, podemos fazer um pequeno experimento mental.

IMAGINE ISTO...

Enquanto escrevemos, os primeiros sinais inquietantes de uma gripe suína pandêmica estão se tornando notícia importante ao redor do mundo. Imagine que a pandemia está atingindo sua parte do mundo e que todas as reuniões públicas com mais de três pessoas foram proibidas pelo governo por razões de segurança e saúde pública. E digamos que, por causa de algumas combinações catastróficas de circunstâncias locais, esta proibição tem de permanecer em vigência por 18 meses.

Como sua congregação de 120 membros continuaria a funcionar – sem nenhuma reunião regular de qualquer tipo e sem grupos nos lares (exceto os de três pessoas)?

Se você fosse o pastor, o que faria?

Penso que você poderia mandar cartas e e-mails regularmente aos membros de sua igreja. Poderia fazer ligações telefônicas e, talvez, até fazer uma mensagem em arquivo de áudio. Mas como a obra constante de ensino, pregação e pastorado aconteceria? Como a congregação seria encorajada a perseverar em amor e boas obras, especialmente em tais circunstâncias? E o que faria a respeito da evangelização? Como novas pessoas seriam alcançadas, contatadas e acompanhadas? Não poderia haver cafés da manhã para homens, nenhum café da manhã, nenhum curso evangelístico ou reuniões de evangelização. Nada.

Você poderia, é claro, voltar à antiga prática de visitar sua congregação de casa em casa e de bater de porta em porta no bairro para contatar novas pessoas. Mas como um pastor poderia se reunir com 120 pessoas e ensinar todos os adultos em sua igreja? E os filhos deles? Como alcançaria de porta em porta os bairros periféricos? Como daria acompanhamento aos contatos que você teria feito?

Ora, se isso tivesse de ser feito, você precisaria de ajuda. Precisaria começar com dez de seus homens cristãos mais maduros e se reunir intensivamente com dois deles de cada vez nos primeiros dois meses (enquanto manteria contato com todos os demais por telefone ou por e-mail). Você treinaria esses dez homens em como ler a Bíblia e como orar com uma ou duas outras pessoas e com seus filhos. O trabalho deles seria duplo: "pastorear" a esposa e seus filhos por meio de leitura bíblica e oração regularmente; e, a cada encontro com quatro outros homens, treiná-los e encorajá-los a fazer o mesmo. Supondo que 80% das pessoas da igreja seriam casadas, por meio destes dez homens e daqueles que eles treinariam subsequentemente, a maioria dos adultos casados seriam envolvidos em encorajamento baseado na Bíblia.

Enquanto isso continuasse a acontecer (com você fazendo telefonemas e oferecendo apoio por e-mail durante o processo), você poderia escolher outro grupo para ser treinado pessoalmente – pessoas que poderiam se reunir com solteiros, ou pessoas que teriam o potencial para ir de casa em casa ou para evangelização, ou pessoas que seriam boas em acompanhar os novos contatos.

Haveria muito contato pessoal e muitas reuniões um a um nas quais pessoas poderiam se encaixar. Mas, lembre, não haveria cultos a realizar, comissões, conselho espiritual, seminários, grupos nos lares, etc. – de fato, nenhum tipo de atividade ou evento em grupos a organizar, administrar, apoiar ou participar. Haveria apenas ensino e discipulado pessoal e treinamento de pessoas, em turnos, para serem fazedores de discípulos.

Eis uma pergunta interessante: depois de 18 meses, quando a proibição fosse removida, e vocês pudessem recomeçar as reuniões aos domingos e todas as demais reuniões e atividades da vida eclesiástica, o que você faria de maneira diferente?

Apêndice

PERGUNTAS FREQUENTES E RESPOSTAS

Quando compartilhamos estas ideias com muitas pessoas no decorrer dos anos, várias perguntas surgiram. Eis algumas das mais comuns:

1. Você diz que todo cristão é chamado a ser um "trabalhador de videira" e um "discípulo que faz discípulos". Não sou bom em ensinar e falar; e acho que não sei muito sobre a Bíblia. Como posso realizar a chamada da qual você está falando?

Talvez a melhor maneira de responder isto seja mencionar a conversa que tive recentemente como amigos cristãos que trabalhavam com vendas – um, vendia imóveis, o outro, software.

Disse aos meus amigos que às vezes acho difícil falar com facilidade sobre as verdades cristãs, especialmente com não cristãos, porque não tenho um tipo natural de personalidade de "vendedor" – não como eles. Mas um deles logo me interrompeu.

"Não, você não entende sobre vendas", ele disse. "Vender não depende de uma personalidade específica ou de alguém ter boa lábia. Tenho muitos homens trabalhando para mim que se julgam grandes vendedores porque são homens de 'vendas' ambiciosos e eloquentes. Mas não são realmente os melhores vendedores. A moça que está fazendo os maiores negócios está muito mais na retaguarda, mas ela é genuína. Ela transmite real interesse e sinceridade, fica perto das pessoas, as ouve e as entende e, depois, trabalha com empenho para ajudá-las a terem o que querem. Ela está fechando mais e mais negócios, mas, se você lhe perguntasse, ela não diria que é uma vendedora natural."

"Vender está ligado realmente a se você ama o produto, se o conhece bem e se você se preocupa com as pessoas e quer vê-las satisfeitas. Se você crê realmente no produto, você o venderá."

Meu outro amigo vendedor também entrou na conversa nesta altura.

"Sim. Está certo. Você pode ter alguém que conhece perfeitamente os detalhes técnicos do produto, mas que não tem paixão por ele, nenhuma empatia ou habilidade para se relacionar com pessoas e ouvi-las. Vender está muito mais ligado a ouvir do que a qualquer outra coisa."

A lição aqui é que, embora todos nós tenhamos dons e habilidades diferentes, o fator mais importante é quanto amamos a mensagem de Deus e quanto amamos todas as pessoas ao nosso redor que precisam ouvi-la. Você pode não ser a pessoa que vai pregar a multidões ou liderar grupos de estudos bíblicos, mas, se realmente anseia ver pessoas se tornando discípulos de Jesus, então achará meios de fazer isso com os dons que Deus lhe deu – como Dave, o jovem esquizofrênico mencionado no capítulo 2.

2. Sou um pastor e estou convencido, por seu argumento, de que a longo prazo treinar pessoas não somente beneficiará o ministério, mas também me ajudará no uso de meu tempo. Mas quase não tenho tempo para fazer estas coisas agora! Como devo começar?

A primeira coisa a dizer é que "treinar" é realmente uma mudança de mentalidade e não apenas um novo conjunto de responsabilidades ou tarefas. Treinar é, em sua maior parte, relacional e feito no trabalho. É o tipo de coisa que pode permear todos os diferentes aspectos de seu ministério, em vez de ser um programa extra, acrescentado ao seu planejamento.

Então, quando você visitar um novo frequentador da igreja ou um membro de sua congregação, leve alguém em sua companhia. Quando estiver preparando seus sermões, gaste parte do tempo falando sobre os assuntos com um cooperador (isso ajudará a você e a ele!). Tanto quanto possível, inclua outros no que você está fazendo e os treine, à medida que prossegue. Deixe-os vê-lo em ação, sobre o que você pensa, como reage, e como está usando a Bíblia para influenciar a tarefa que está realizando.

Em segundo, faça uma avaliação honesta e completa de como você gasta seu tempo. Quais são as atividades, programas e prioridades que o impedem de dedicar algum tempo especificamente ao treinamento? Há boas razões para estas coisas serem mais prioritárias do que o treinamento? Ou as razões se originam de motivações impróprias – por exemplo, um desejo de satisfazer as expectativas dos membros, ansiedade por bom desempenho na pregação (que leva a preparação excessiva), temor de não cumprir o esperado, insegurança pessoal ou coisas como estas?

Em terceiro, adote uma visão de longo prazo. Talvez pareça que não há tempo agora para treinar pessoas por causa de sua grande carga de trabalho, mas deixar de treinar pessoas o fechará permanentemente na armadilha de grande carga de trabalho. Talvez você ache que há muito a fazer e nenhum tempo para realizar treinamento e, por isso, não o realiza. Mas isto significa que você não está levantando ajudantes e cooperadores que possam trabalhar ao seu lado no ministério. E, assim, você continua a levar a carga de trabalho e a se estressar sozinho, o que, com o passar dos anos, o levará à fadiga. Você acaba se tornando vítima de uma vida reativa e do planejamento de curto prazo.

Em quarto, seja ousado para dizer "Não" e, por consequência, não ser apreciado. Em muitas situações, dizer "Sim" a mais treinamento significará inevitavelmente dizer "Não" para outras coisas. E, como resultado natural, você enfrentará resistência e sofrerá aversão de algumas pessoas de sua igreja, ou dos oficiais da denominação, ou de ambos. Isto é desagradável, mas inevitável. Nem todos compartilham das prioridades do evangelho. Todavia, neste sentido, desenvolver um conjunto de prioridades, e torná-las públicas, o ajudará bastante, se você trabalhar com empenho para ter junto de si os seus presbíteros e conselho espiritual (ver o passo 2 de "Começando", no capítulo 12).

Talvez não seja necessário dizer isto, mas sofrer aversão e até perder pessoas na igreja não é nosso alvo em si mesmo. Devemos sempre avaliar nossas motivações, ações, apresentações e prioridades quando essas coisas acontecem. Contudo, às vezes precisamos permitir que elas aconteçam a fim de que as prioridades corretas floresçam. Quando as prioridades corretas são mantidas – quando você diz "Não" a algumas pessoas e a algumas coisas – as pessoas não o apreciarão.

3. Os nossos líderes já estão estabelecidos. Ainda devo considerar a utilização do modelo de pastor como treinador?

Vários pastores com os quais converso supõem que o treinamento está acontecendo porque realizam certos programas ou têm pequenos grupos implementados. É claro que em certo grau isto pode ser bem verdadeiro. Entretanto, vale a pena avaliar suas práticas correntes com algumas perguntas diagnósticas como estas:

- Na congregação, há uma cultura de fazer discípulos um a um?
- Os líderes de estudos bíblicos em sua igreja sabem o que significa pastorear e liderar pessoas em seus grupos?
- Os seus líderes são norteados por treinamento – ou seja, estão procurando eles mesmos despertar e treinar mais líderes?

Apêndice: Perguntas frequentes e respostas

- Todos de sua igreja sabem uma maneira básica de compartilhar a verdade do cristianismo?
- Todos os membros de sua igreja sabem como encorajar alguém, com e por meio da Palavra de Deus?
- Todas as pessoas de sua igreja entendem o que significa servir a Jesus e praticam a sua fé cristã na vida diária?
- Você tem, em sua igreja, um grupo de pessoas que pode ensinar a Bíblia e comunicar bem o principal ensino do texto?
- Há um grupo de pessoas que entendem as prioridades da igreja e podem treinar outros eficientemente nessas prioridades?
- Você está identificando, recrutando e treinando aqueles que têm dons para evangelizar ("missionários leigos") e liberando-os com o evangelho em sua comunidade local?
- A próxima geração de trabalhadores do evangelho está sendo levantada? Você está vendo o surgimento de novos "talentos para o ministério"?

4. Como posso transmitir uma visão cativante para treinamento ministerial?

É importante dar às pessoas um resumo do que você – como um líder de igreja – está fazendo. Como dissemos em todo este livro, queremos que todas as pessoas sejam discípulos que fazem discípulos de Cristo. Você precisará se expressar em sua própria maneira e em termos que funcionam dentro de seu contexto, mas vale a pena dar-se ao trabalho, com seus principais líderes, de elaborar uma declaração que focalize seus alvos. Talvez depois que tiver trabalhado de perto com seus presbíteros ou conselho espiritual, por um ano ou mais, você mesmo poderá estabelecer a tarefa conjunta de reescreverem a visão ou a missão da congregação de uma maneira que sinalize uma mudança de ênfase.

Matthias Media, por exemplo, reescreveu recentemente sua declaração de missão, nestes termos:

Queremos persuadir todos os cristãos quanto à verdade dos propósitos de Deus em Jesus Cristo, conforme revelados na Bíblia, e equipá-los com materiais de alta qualidade, para que, pela obra do Espírito Santo eles:

- dediquem sua vida à honra e ao serviço de Cristo, em santidade e decisões diárias.
- orem constantemente em nome de Cristo em favor da frutificação e do crescimento do evangelho de Cristo.
- falem sempre e como puderem a mensagem da Bíblia, que transforma vidas – no lar, no mundo e na comunhão de seu povo.

Como você adaptaria uma declaração como esta para expressar seus alvos de ministério?

5. Por que as pessoas não querem se comprometer?

Falta de compromisso por parte dos membros da igreja é talvez a razão mais comum que pastores e líderes apresentam para justificar a falta de treinamento em sua igreja.

Ora, não há um remédio simples que cura totalmente este problema. Isto é uma doença fundamentalmente espiritual, mas há vários fatores culturais, teológicos e históricos que contribuem para sua propagação e virulência:

- **Profissionalismo do ministério:** em muitas igrejas, os cristãos comuns pensam que o ministério é uma profissão, e, visto que não é a profissão *deles*, também não é papel deles como cristãos. Os pastores podem se queixar disso, mas eles devem examinar a si mesmos quanto a este assunto. Em muitas igrejas, o ministério é totalmente controlado e centralizado entre os pastores e/ou presbíteros, em parte porque eles gostam disso. Eles têm o controle. As coisas são ordeiras e previsíveis. Mobilizar e liberar a congregação para ministério é empolgante, mas também aumentará inevitavelmente o tumulto e o transtorno.

- **Uma visão clericalizada do ministério:** isto é enfatizado em algumas denominações mais do que em outras. A ordenação é uma unção especial em uma pessoa especial para uma obra especial; portanto, os leigos são inclinados a deixar que os ministros ordenados deem continuidade ao ministério.
- **Ministério de nichos:** em seu livro *Deliberadamente Igreja*, Mark Dever argumenta contra funções ministeriais especializadas porque elas tiram da congregação a responsabilidade desses ministérios.[1] Se há um ministro de jovens, então a responsabilidade de ministrar aos jovens não está com os pais dos jovens (como deveria), mas com o pastor de jovens. A estrutura age como um desestimulador para as pessoas se envolverem.
- **Imaturidade espiritual:** querer servir aos outros e crescer nisso é uma função da maturidade cristã. Quanto mais nos tornamos semelhantes a Jesus, tanto mais queremos gastar nossas vidas em amor e serviço aos outros. Se as pessoas de sua igreja não *querem* servir, quão eficientemente elas estão sendo ensinadas e discipuladas? Quão eficiente e claramente o próprio evangelho está sendo pregado? As pessoas de sua igreja sabem que dedicar a vida em favor de outros é uma parte integral de ser cristão? Talvez seja tempo de retornar aos fundamentos e desafiar a força do compromisso das pessoas com Jesus como seu Senhor. Talvez seja tempo de rogar a Deus que faça uma obra profunda na vida das pessoas, por meio de seu Espírito, para que elas queiram viver sacrificialmente.

---

1 Mark Dever, *Deliberadamente Igreja: Edificando Seu Ministério sobre o Evangelho* (São José dos Campos, SP: Fiel, 2008), p. 191-202.

- **Não gastar tempo com as pessoas certas:** tendemos a incluir todos em nossas tentativas de treinamento e discipulado. Além disso, tendemos a gastar grande quantidade de nosso tempo com os que são necessitados – como novos frequentadores, os doentes e os que sofrem. Estas pessoas são importantes, mas não são as pessoas ideais em quem devemos investir realmente desde o início. Em vez disso, escolha algumas pessoas – ou mesmo apenas uma pessoa – que amam o crescimento e comece com elas.
- **As pessoas certas nos lugares errados:** as pessoas que você gostaria de começar a treinar e com as quais gostaria de trabalhar estão profundamente envolvidas em trabalhos de comissões e outras atividades de "treliça"? Você precisa remover essas pessoas destas estruturas – ou desmontar as estruturas – para que elas tenham tempo e energia para receberem o treinamento.
- **Dons espirituais:** pessoas tendem a fazer somente aquilo que elas julgam ter os dons para fazer. "Inventários de dons espirituais" eram muito populares nas igrejas nos anos 1990. Mas fazer todos passarem por uma aula de inventário não ajudou realmente a solucionar o problema de 80/20 (80% do trabalho feito por 20% das pessoas). Por que não? Porque a raiz do problema não é as pessoas não entenderem quais são os seus dons espirituais, e sim a sua motivação e seu entendimento quanto ao ministério.

A outra coisa que podemos fazer para motivar a participação no treinamento é trabalhar com munição viva. Ou seja, em vez de apenas dizer: "Quem gostaria de vir e receber um treinamento para o ministério infantil?", você lança uma visão para um novo clube ou ministério de crianças nas escolas locais. E, quando as pessoas são cativadas pelas possibilidades deste novo ministério, querem se envolver e começar a serem envolvidas. Elas ficarão ansiosas por treinamento. Se tiverem de ficar diante de

Apêndice: Perguntas frequentes e respostas

um grupo de meninos e meninas de 13 anos de idade toda semana para ensinar a Bíblia, ficarão muito desejosas de serem ajudadas, treinadas, equipadas e orientadas de qualquer maneira possível!

Afinal de contas, liderança é visão – não é coerção!

6. Na seção "Começando", estou tendo dificuldades com o passo 3 – ou seja, tenho poucas pessoas que eu poderia treinar como cooperadores. Como posso convencê-las da importância de se envolverem? Como eu as desperto para o desejo de serem treinadas e de ministrarem aos outros?

Como este tipo de transformação pessoal acontece de modo que o coração dessas pessoas queime com a vontade de servir a Cristo e a outras pessoas? Como pessoas podem ser transformadas de uma maneira de viver mundana e egoísta (mesmo como cristãos) para uma maneira de servir espiritual e centrada nos outros?

Isso só pode acontecer por meio da obra miraculosa de Deus na vida de pessoas, quando ele aplica sua Palavra ao coração delas, por meio do seu Espírito. Como participamos na obra de Deus?

- Oramos fervorosa e frequentemente pelas pessoas de nossa igreja – para que Deus transforme o coração delas.
- Ensinamos e aplicamos a Palavra de Deus às pessoas – a partir do púlpito, em pequenos grupos e um a um. Uma maneira de fazer isso seria tomarmos o material dos capítulos iniciais deste livro – em especial, os capítulos 1 a 6 – e o considerarmos com um grupo essencial de pessoas. Você poderia roubar as ideias e transformá-las em estudos ou sermões bíblicos (não nos importamos com isso!). Ou você poderia realmente considerar todo o livro, examinando um capítulo por vez, com discussões e estudo bíblico.

- Damos às pessoas um gosto para servir aos outros ao levá-las conosco, enquanto fazemos coisas diferentes no ministério. Leve alguém com você para fazer visitas ou bater de porta em porta ou permita que a pessoa o ouça, enquanto faz um estudo bíblico com alguém.
- Persevere pacientemente. Tudo isto exige tempo, dependendo de quão maduras ou piedosas já são as pessoas de sua igreja.

7. Por que "treinamento" é necessário juntamente com a pregação fiel e o ministério pastoral?

Há um instinto bastante correto que diz que, se pregarmos dedicada e fielmente a Palavra de Deus, o coração das pessoas será mudado, e elas quererão se dar à obra de fazer discípulos e ao serviço aos outros. Então, por que precisamos desta coisa separada que chamamos "treinamento"?

A resposta é que "treinamento" – como o definimos – não é realmente uma coisa separada porque se conecta com pessoas individualmente. Treinamento *não* é apenas transmitir certas habilidades. É um ministério da Palavra que leva a crescimento em convicção, caráter e competência. O verdadeiro poder do treinamento está não no método ou na estratégia, mas na maneira como a Palavra de Deus e o Espírito atuam na vida das pessoas.

Outra maneira de dizer isso é que "treinamento" é o exercício de ministério pastoral diante de crises. É como você trabalha com pessoas individualmente tendo em vista crescimento e maturidade, quando não as está nutrindo e cuidando delas em suas tristezas, doenças e problemas familiares.

A mudança de mentalidade designada "treinamento" também acrescenta uma dimensão à quão bem as pessoas ouvem seu ensino e aprendem dele. Se a cultura permanente de sua igreja é que cada cristão não é apenas um ouvinte, mas também um comunicador, isso muda o modo como eles ouvem. Não há nada como ter de explicar o evangelho para motivar alguém a aprender realmente o que é o evangelho.

8. E quanto à comunidade cristã? Esta conversa sobre "treinamento" não é totalmente individualista?

Se o alvo é treinar discípulos que fazem discípulos de Jesus, então o alvo é treinar pessoas que amam umas às outras como Cristo, nosso Senhor, ordenou. Em nossa experiência, as igrejas que têm uma forte cultura de treinamento (como a definimos) acabam construindo comunidades de Cristo profundas, honestas e amorosas. As pessoas destas comunidades não se veem mais como consumidores ou como espectadores, mas como servos que desejam ver o crescimento de outros.

Treinamento pode começar pequeno. Pode focalizar-se em indivíduos e no que cada pessoa precisa para crescer, mas o resultado é uma explosão de amor.

O que tende a acontecer é que, à medida que as pessoas "abraçam" a visão de ministério e treinamento e começam a expandir-se e desenvolver novos ministérios ao redor de seus dons e circunstâncias específicas, novas pequenas comunhões do povo de Deus se desenvolvem, ou como subgrupos dentro das congregações, ou como novas plantações de igreja.

9. Como os pequenos grupos se encaixam no seu conceito de treinamento?

Em muitos lugares hoje, uma rede de pequenos grupos é uma das "treliças" mais importantes da vida da igreja – uma estrutura que permite aos cristãos se reunirem para encorajar uns aos outros com a Bíblia e orar uns pelos outros.

No entanto, alguns pastores estão corretamente céticos quanto ao valor dos pequenos grupos. Se esses grupos não são liderados e bem gerenciados, podem se tornar facilmente estruturas ineficazes e até mesmo perigosas nas quais as pessoas se reúnem para compartilhar sua ignorância e nas quais não há supervisão pastoral genuína.

Sem treinamento, a delegação do ministério e da autoridade pastoral à estrutura de pequeno grupo é uma abdicação da responsabilidade pastoral. Pequenos grupos podem ser instrumentos eficientes para o ministério, mas somente se treinarmos líderes para que tenham uma profunda compreensão da sã doutrina, um caráter piedoso e a capacidade de entenderem e ensinarem a Bíblia por meio de discussão em grupo.

Visto que muitas igrejas não treinam adequadamente seu povo e, portanto, não desenvolvem o tipo de trabalhadores de videira que podem liderar pequenos grupos eficazes, a liderança e o ensino tendem a ser centralizados no(s) pastor(es) ordenado(s) e talvez em poucos líderes principais. Isto protege o evangelho, mas não multiplica o ministério.

Pequenos grupos podem ser estruturas bastante úteis *nas quais* podemos treinar pessoas. Se o líder do grupo vê-se a si mesmo não como um coordenador ou diretor mas como um treinador, isso muda completamente os alvos e a dinâmica do grupo. O alvo do líder do grupo se torna o mesmo alvo de todo o ministério – não apenas fazer discípulos, mas fazer discípulos fazedores de discípulos.

10. Como a sua abordagem de ministério e crescimento se harmoniza com plantar igrejas? A plantação de novas congregações não é uma estratégia fundamental no crescimento do evangelho?
Em muitos aspectos, a metáfora de "treliça e videira" nos ajuda a entender e esclarecer o que é tão útil e importante quanto à plantação de igreja. Também nos alerta sobre alguns perigos.

Metaforicamente, podemos dizer que, se temos uma treliça com uma videira florescente num lado do jardim e gostaríamos de vê-la crescendo no outro lado do jardim, poderíamos tomar duas atitudes. Poderíamos regar, tratar e cuidar da videira, enquanto ao mesmo tempo manteríamos e expandiríamos a treliça, para que a videira crescesse por toda a cerca de trás e chegasse ao outro lado do jardim. Um megavideira, você diria. Ou poderíamos construir uma nova treliça no outro lado do jardim, tomaríamos uma muda da videira original e começaríamos uma nova videira.

Ambas as atitudes são legítimas, e a escolha entre elas depende de vários fatores (inclusive a habilidade da liderança em ser capaz de fazer crescer e manter unida uma grande congregação). Entretanto, quantas igrejas têm descoberto que plantar novas congregações, em novos contextos, lugares e tempos, ou com novas ênfases e estilos têm contribuído realmente para o crescimento da videira. Fazer uma "videira" crescer de 30 ou 40 membros para 120 é frequentemente mais fácil, especialmente em termos das complicações de treliça, do que crescer de 120 para 200.

Mas há uma coisa. Construir uma nova treliça e plantar uma nova videira em outro lugar não favorecerá o crescimento, se a videira não for saudável para começar a se expandir. O mero ato de transplantar não produz crescimento evangélico – ou seja, a evangelização, a conversão e o crescimento de discípulos que fazem discípulos de Jesus Cristo. Mas, se esse tipo de crescimento evangélico *está* acontecendo, e você planta algumas dessas pessoas em outro lugar, as chances são que elas crescerão e se multiplicarão ali, com entusiasmo renovado.

Em outras palavras, a empolgação quanto à plantação de igreja pode, às vezes, levar pessoas a pensarem que o mero fato de erguer uma nova treliça em outro lugar resultará numa nova videira saudável e crescente. Mas a coisa principal quanto à plantação de igreja não é a qualidade ou o lugar da treliça, mas a qualidade das pessoas – os trabalhadores de videira – que estão começando a nova obra. Outra vez, a questão retorna a quão bem estamos treinando nosso povo a serem fazedores de discípulos.

Para muitos, a atividade de plantar igreja significa erigir uma treliça com características familiares: um prédio, um pastor ordenado, um estatuto e assim por diante. Mas, se entendemos que a obra de videira é a coisa principal, então podemos ser flexíveis quanto ao tipo específico de treliça que precisamos para plantar uma nova videira nesta nova localidade. Por exemplo, podemos começar com um grupo de cristãos que se reúnem numa sala de visitas sem um pastor ordenado.

Em qualquer abordagem que seguirmos, o treinamento de trabalhadores de videira é crucial. Precisamos preparar e formar equipes de discípulos engajados no ministério da Palavra guiado pelo Espírito. Precisamos construir ao redor de pessoas e não de estruturas.

11. A sua abordagem do ministério é contrária a igrejas grandes? Você está dizendo que a igreja "ideal" é uma igreja que tem um pastor-treinador e 120 membros?

É claro que não. Os princípios de ministério que delineamos são, conforme argumentamos, os princípios bíblicos para fazermos discípulos de todas as nações. Eles se aplicam tanto aos pequenos grupos de estudos bíblicos de oito pessoas quanto às megaigrejas de 2.000 membros. Ou seja, o alvo de todo o ministério é que vejamos pessoas se tornando discípulos de Cristo piedosos e maduros, os quais, em imitação de seu Senhor, anseiam por alcançar outros, servi-los e torná-los discípulos. Treinar discípulos em convicção, caráter e competência deve estar no âmago de todo o ministério cristão, independentemente do tamanho da comunhão e de suas estruturas.

Por exemplo, sabemos de um pastor que está presentemente lidando com a questão de como fazer sua igreja crescer de 500 para 1.000 pessoas. Ele enfrenta desafios organizacionais e estruturais (desafios de "treliça"); e as habilidades de liderança e de gerenciamento de pessoas que ele precisará são mais importantes do que se estivesse pastoreando uma igreja de 80 membros. Ele sabe que precisa fazer algum "trabalho de gerenciamento" e não apenas "trabalho de execução". No entanto, este pastor específico também sabe que seu alvo não é conseguir 500 novas pessoas para sentar nos bancos de sua igreja (o que ele poderia conseguir de várias maneiras!), e sim ter 500 novos discípulos de Jesus. Ele também sabe que sozinho não será capaz de achar, reunir e ensinar esses novos discípulos. Isso só acontecerá (pela graça de Deus) se ele continuar treinando seu povo a trabalhar com ele em evangelização, acompanhamento, crescimento e treinamento. Em outras palavras, fazer uma grande congregação crescer não exige apenas liderança talentosa e altamente capaz, mas também um compromisso inabalável com o treinamento de um exército de cooperadores. Exige um compromisso ainda maior com manter as pessoas no centro e não os programas.

Devemos reconhecer que nem todos têm capacidades de liderança e personalidade para construir e liderar uma grande congregação. Mas nossa filosofia de ministério nos leva a apoiar, encorajar e ajudar aqueles que fazem isso. O ministério deve ser construído ao redor de pessoas e não de seus dons. Se alguém possui os dons para edificar uma obra evangélica realmente grande e significativa, nós lhe daremos toda assistência e treinamento para fazer isso.

Outro ponto importante sobre isto: um de nossos treinadores do *Ministry Training Strategy* (Estratégia de Treinamento Ministerial) escolheu enviar 30 de seus melhores líderes para o ministério do evangelho ao redor do mundo, resultando em que ele não construiu uma megaigreja. Estes 30 líderes estão agora servindo como pastores, plantadores de igreja, missionários e educadores teológicos. Se os tivesse retido em sua equipe de ministério, quem sabe quão grande seria a sua igreja hoje? Mas, porque ele os deu intencional e generosamente, o evangelho se propagou em muitas frentes. É uma escolha estratégica entre fazermos crescer nossas próprias igrejas e fazermos crescer o evangelho além de nossa obra local. É claro que é possível fazermos ambas as coisas. Mas não devemos valorizar grandes igrejas como a única medida de progresso do evangelho.

12. Eu sou um pastor. Muito do que faço é cuidar daqueles que estão magoados, doentes e necessitados. Com base no que você diz nos capítulos 8 e 9, está sugerindo realmente que não devo mais fazer isso?

É claro que não. Os doentes e os que sofrem em nossas congregações precisam de cuidado. O que estou sugerindo é que eles não são os únicos que precisam de seu tempo e ministério. Se você quer realmente cuidar deles e ver real crescimento do evangelho, então a coisa sábia a fazer é treinar e mobilizar os cristãos maduros e piedosos de sua congregação para realizarem algum ministério de cuidar dos outros.

Isto pode apresentar algumas escolhas ardilosas para o pastor. Precisamos orar por sabedoria. E haverá crises e necessidades que precisarão da atenção do pastor. Mas, a sua responsabilidade como pastor é "alimentar as ovelhas" – todas elas. Se todo o seu tempo é consumido pelas ovelhas fracas e doentes, as saudáveis não serão alimentadas e podem acabar se desviando para algum outro lugar!

13. Se você está encorajando pessoas a começarem seus próprios ministérios, usando seus dons e oportunidades, toda a coisa não se tornará um pouco confusa e tumultuada?
Sim. E o seu problema com isso é...?

O fato é que muitos de nós somos "controladores" e colocamos muito valor em que tudo esteja arrumado, organizado e sob controle. Um pouco de tumulto é inevitável no ministério de pessoas.

No entanto, o tipo de controle que é necessário é o controle de sã doutrina e de caráter piedoso. Algum caos administrativo e organizacional pode ser gerenciado, mas o caos de pecado e de falsa doutrina causa dano real. Esta é a razão por que é tão importante treinarmos pessoas em convicção, caráter e competência, para que os ministérios em que elas estiverem envolvidas sejam piedosos e alicerçados na Bíblia.

FIEL MINISTÉRIO

O Ministério Fiel visa apoiar a igreja de Deus de fala portuguesa, fornecendo conteúdo bíblico, como literatura, conferências, cursos teológicos e recursos digitais.

Por meio do ministério Apoie um Pastor (MAP), a Fiel auxilia na capacitação de pastores e líderes com recursos, treinamento e acompanhamento que possibilitam o aprofundamento teológico e o desenvolvimento ministerial prático.

Acesse e encontre em nosso site nossas ações ministeriais, centenas de recursos gratuitos como vídeos de pregações e conferências, e-books, audiolivros e artigos.

Visite nosso site
www.ministeriofiel.com.br

Esta obra foi composta em Arno Pro Regular 13.5, e impressa
na Promove Artes Gráficas sobre o papel Apergaminhado 70g/m²,
para Editora Fiel, em Março de 2025.